O MISTÉRIO DE CRUZ DAS ALMAS

MAURÍCIO ZÁGARI

O MISTÉRIO DE CRUZ DAS ALMAS

Publicado por Editora Mundo Cristão

Os textos das referências bíblicas foram extraídos da *Nova Versão Transformadora* (NVT), da Editora Mundo Cristão (usado com permissão da Tyndale House Publishers, Inc.).

Edição
Daniel Faria

Revisão
Natália Custódio

Produção e Diagramação
Felipe Marques

Colaboração
Ana Paz

CIP-Brasil. Catalogação na publicação
Sindicato Nacional dos Editores de Livros, RJ

Z23m

Zágari, Maurício
O mistério de cruz das almas / Maurício Zágari. - 1. ed. - São Paulo : Mundo Cristão, 2019.
144 p.

ISBN 978-85-433-0419-9

1. Ficção. 2. Literatura juvenil brasileira. I. Título.

19-56338 CDD: 808.899283
CDU: 82-93(81)

Categoria: Ficção
1ª edição: junho de 2019
3ª reimpressão: 2025

Publicado no Brasil com todos os direitos reservados por:

Editora Mundo Cristão
Rua Antônio Carlos Tacconi, 69
São Paulo, SP, Brasil
CEP 04810-020
Telefone: (11) 2127-4147
www.mundocristao.com.br

Sumário

Prólogo

O silêncio dominava o cemitério. Nos últimos dias, uma movimentação diferente tinha agitado o lugar, por isso aquele momento de calmaria lhe permitia descansar sem sobressaltos. Pousada na marquise de um mausoléu, a coruja olhava em volta com gestos precisos e rápidos. Já tinha saboreado a refeição da noite, um rato gordo e apetitoso. Agora, tentava repousar um pouco, enquanto limpava as penas com bicadas curtas. Seus grandes olhos amarelados enxergavam bem através da escuridão, e ela conseguia discernir qualquer pequeno movimento. De repente, um ruído fez que se assustasse, batesse as asas e ameaçasse alçar voo. Mas, movida pela curiosidade, fixou o olhar.

Um grande animal vinha em sua direção, correndo por entre as sepulturas. Ela podia perceber o pânico que emanava daquele ser, tanto na respiração ofegante quanto na velocidade de seus passos, bem como no cheiro de suor de seu corpo e até da adrenalina que saía de seus poros e que o vento pesado da noite levava até ela. A coruja conhecia bem aqueles sinais. Eram sintomas típicos de uma presa fugindo de seu predador.

Estava bem familiarizada com aquele tipo de animal, sempre presente na região do cemitério que lhe servia de moradia. Tratava-se de um ser humano. Aquele em especial chamou sua atenção, pois se aproximava em desabalada carreira pelos corredores entre as sepulturas. Em certo momento, saiu na alameda principal e parou. Olhou para trás. Olhou ao redor. Ali se localizavam os maiores e mais antigos mausoléus do cemitério.

Curiosa, a coruja levantou voo de onde estava e, com poucas batidas de asas, deslocou-se até uma grande árvore, a certa distância. De lá, conseguia ter uma visão mais privilegiada. Assim, foi capaz de observar quando aquele animal correu até um dos grandes mausoléus e forçou histericamente a porta de entrada. Como estava trancada, ele se lançou a passos nervosos e apressados para o segundo. Nada. Dirigiu-se ao terceiro, mas uma grande corrente impedia que abrisse a porta. Quando chegou diante do quarto mausoléu, o que aconteceu fez a coruja dar um salto, assustada.

A porta cedeu, deixando vislumbrar uma escadaria que levava a uma construção subterrânea. E, do seu interior, cortando o ar e o silêncio da noite, veio um som indescritível. Era como se centenas de gargantas emitissem ao mesmo tempo gritos agudos e roucos, berros que pareciam uma mistura de tristeza, dor e solidão.

Um som infernal.

A coruja não foi a única que se aterrorizou com o barulho. Impactado pela súbita massa sonora de gritos horripilantes que emergiu das profundezas da terra, o ser humano cambaleou para trás. Após um instante de hesitação, uma movimentação chamou sua atenção, e também a da coruja. Ambos viraram a cabeça e viram algo que se destacava na noite. Duas criaturas se aproximavam a passos rápidos. Eram duas formas pálidas, com roupas e olhos negros e dentes caninos compridos e pontiagudos. Uma figura masculina e outra feminina. No mundo dos humanos, os dois seriam associados a seres míticos e lendários, nos quais muitos não acreditavam. Seres conhecidos como... *vampiros*.

Eles se aproximavam rapidamente, com uma postura corporal ameaçadora. Certamente eram predadores, e estavam caçando. O ser humano, acuado, virou-se de imediato para o lado oposto, disparando em meio a um dos corredores do cemitério.

De onde estava, a coruja conseguia ver o caminho à frente e percebeu o que aconteceria em seguida: bem na rota de fuga da presa havia uma cova aberta, oculta pela escuridão da noite. Em meio à sua correria, o ser humano fez uma expressão de susto, os olhos arregalados e a boca aberta num grito mudo, quando o chão sumiu de baixo de seus pés e seu corpo se projetou para dentro daquele grande buraco. Sem conseguir frear, foi atirado para a frente por seu próprio impulso e mergulhou no vazio. A coruja ouviu o baque da queda dentro da cova, acompanhado de um gemido. Ela já sabia o que viria a seguir.

Ao ver que o ser humano havia caído no buraco, os dois predadores diminuíram o passo e se aproximaram da beirada. Observaram a presa acuada dentro da cova e se entreolharam. Trocaram algumas palavras e, sem perder tempo, o macho saltou para dentro da cova. Visivelmente atordoado com a queda, o ser humano esticou os braços à frente do rosto, num gesto instintivo de proteção. Mas não demonstrou grande resistência quando o caçador segurou suas mãos e as imobilizou. Este, então, voltou-se, para a fêmea e disse:

— Ele é todo seu. Faça o que tem que fazer.

A criatura saltou para dentro da cova e inclinou-se em direção ao pescoço da vítima. Antes de entregar sua vida, a presa indefesa só conseguiu emitir uma palavra:

— Jesus...

Capítulo 1

O INÍCIO DA GUERRA

Jesus se aproximou deles e disse: "Toda a autoridade no céu e na terra me foi dada. Portanto, vão e façam discípulos de todas as nações, batizando-os em nome do Pai, do Filho e do Espírito Santo".

MATEUS 28.18-19

Tão logo desceu do ônibus, Daniel espichou a coluna, levantou os braços, girou a cabeça para lá e para cá e alongou todos os músculos que conseguiu. Estava quebrado. A viagem de sua cidade até ali tinha sido longa, demorada e cansativa, com muitas horas dentro do ônibus. Mas, afinal, tinha chegado. Enquanto remexia o corpo, tratou de fazer aquilo que era seu hábito e que lhe dava tanto prazer e motivação: demonstrar gratidão. "Senhor, meu Deus e meu pai, obrigado por nos teres trazido em segurança até aqui", orou em pensamento.

Logo, estavam ao seu lado os dois companheiros daquela viagem missionária, Carlos e Binho. Os rapazes faziam parte da juventude de sua igreja e se sentiam chamados por Deus para o ministério pastoral. Desde cedo, desempenhavam papel ativo na obra do Senhor.

Carlos, com 15 anos, era um intercessor nato. Gostava de dobrar os joelhos e era conhecido entre os amigos por dedicar muito de seu tempo orando pelos irmãos, pelo pastor, pela igreja e pelas almas perdidas. Fazia o tipo caladão, mas era sempre ponderado e costumava usar versículos para justificar suas posições. Apreciava, em especial, o livro de Provérbios. Tinha uma característica engraçada: sempre que ficava nervoso, começava a piscar rapidamente os olhos e gaguejar.

Já Binho era o mais agitado da turma. Irrequieto, gostava mesmo era de botar a mão na massa. Precisava carregar peso? Binho. Organizar um mutirão? Binho. Distribuir folhetos? Chama o Binho. Com 14 anos, o rapaz era uma máquina de fazer coisas em prol da obra de Deus. Era, nesse aspecto, o oposto de Carlos. Enquanto um era pensador e intercessor, o outro demonstrava seu amor pelo Pai com ações práticas.

De certo modo, eles se complementavam, porque os dois tipos de pessoas são importantes e úteis para o reino de Deus. É verdade que tinham certa implicância um com o outro, sobretudo Binho, que costumava dizer que Carlos não fazia as coisas acontecerem. Mas, quando surgia um problema, era seu amigo reflexivo que trazia as melhores soluções e apontava os caminhos mais adequados.

Carlos e Binho, os dois companheiros de Daniel, haviam sido escolhidos a dedo pelo pastor Wilson entre todos os jovens da igreja para aquela fascinante viagem missionária: uma semana numa pequena cidade próxima ao litoral nordestino, auxiliando uma igreja de poucos recursos num esforço de evangelização. Aquilo era missão na prática!

Os dois jovens foram escolhidos porque eram considerados muito promissores. Já faziam parte da sala de adultos da escola dominical e sonhavam em estudar teologia numa instituição respeitada para que, um dia, se Deus quisesse, pudessem exercer o ministério pastoral. E, agora, estavam diante da possibilidade concreta de colaborar com a Grande Comissão de Jesus. Daniel, do alto de seus 18 anos, liderava o trio, como determinado pelo pastor Wilson.

— Daniel?

Os três ainda estavam retirando as mochilas do bagageiro do ônibus quando a voz fez que levantassem os olhos. À frente deles estava um rapaz baixo, sorridente, de sobrancelhas grossas e cabeça começando a ficar calva. Tinha os braços musculosos e um tronco largo.

— Sou eu — retribuiu o sorriso Daniel, disfarçando o cansaço.

— A paz do Senhor, irmão. Meu nome é Augusto, sou da igreja do pastor Eliseu. Ele me pediu que viesse pegar vocês.

O pastor Eliseu era o líder da igreja local. Amigo de juventude do pastor Wilson, tinha feito seminário com ele anos antes. Depois de ordenado ao ministério, sentiu o chamado de Deus para abrir uma igreja no interior do Brasil. Havia aproximadamente cinco anos que tinha se mudado para aquela cidade, onde vinha lutando para pregar o evangelho, enfrentando a escassez de recursos, o misticismo desenfreado e as superstições locais. Não era tarefa fácil, mas, aos poucos, tinha conseguido erguer uma igreja humilde que servia de casa de fé para mais e mais pessoas.

Os dois pastores nunca perderam o contato e sempre se falavam pelas redes sociais. O pastor Wilson chegou a ajudar o amigo financeiramente em alguns momentos de dificuldade, com ofertas missionárias que colaboravam no sustento do trabalho local.

Agora, o pastor Wilson tinha aproveitado para combinar com o amigo o envio dos três jovens mais promissores de sua igreja em termos ministeriais para que passassem um tempo ali e vivessem na prática o trabalho missionário, auxiliando nos esforços de evangelização. Ali estavam, portanto, Daniel, Carlos e Binho, numa pequena rodoviária do interior, muito longe de casa, à disposição para ajudar o pastor Eliseu no que fosse necessário.

Depois de apertar a mão dos três, Augusto indicou o caminho até o carro, estacionado do outro lado da rua. Para surpresa deles, era um carro de polícia, branco e azul, todo coberto de poeira. Passado o susto, respiraram aliviados quando seu anfitrião explicou que era policial. Os quatro se espremeram entre suas mochilas e os bancos e, em pouco tempo, já estavam a caminho da igreja, conversando animadamente sobre a viagem e o trabalho que tinham se voluntariado para fazer.

Augusto era o líder da juventude da igreja. Era casado, e seu primeiro filho havia acabado de nascer. Com 25 anos, era policial desde os 21. Chamava atenção seu sotaque puxado, que lembrava o cantar dos repentistas. Falava quase que numa melodia, e isso fez Carlos e Binho se entreolharem algumas vezes, contendo o riso. Não estavam acostumados a ouvir alguém falar daquele jeito. O que eles não sabiam é que o policial secretamente também estava se divertindo com o sotaque deles, cheio de *R's* arrastados e *S's* chiados.

Depois de vinte minutos de viagem, chegaram à porta da igreja, uma construção simples e pequena. A igreja primava pelo trabalho de discipulado e de comunhão: uma comunidade pequena onde, em vez de as pessoas irem para assistir aos cultos como meros espectadores, formava-se uma grande família. O aprendizado e o crescimento não vinham exclusivamente de palestras e pregações, mas da convivência com os irmãos. Daniel, Carlos e Binho desceram do carro e caminharam para o interior do prédio, guiados por Augusto.

— O pastor Eliseu já está chegando. Ele foi visitar um irmão da igreja que está doente e pediu que vocês esperassem, pois vai hospedá-los na casa dele, que fica nos fundos da igreja. Podem ficar à vontade.

Os quatro se sentaram num dos bancos humildes do templo e se puseram a esperar, conversando com animação sobre a viagem e os planos para os próximos dias. Foi quando Daniel sentiu sede.

— Augusto, tem algum lugar para beber água?

O jovem desenhou o caminho no ar com a mão.

— Saia pela porta, vire à direita, siga pelo corredor

até os fundos da igreja. Ao lado dos banheiros tem um bebedouro.

Daniel pediu licença e seguiu pelo caminho indicado. Pôde observar a simplicidade do lugar, as paredes quase todas só de tijolos, sem pintura, o chão de piso barato. A exemplo do que tinha visto da cidade, era uma comunidade pobre, sem sinais de riqueza ou requinte. Nem por isso, porém, deixava de ser um santuário acolhedor.

Daniel encontrou o bebedouro e se inclinou para beber. Passou alguns segundos molhando a garganta até que, subitamente, foi invadido por uma sensação diferente. Com o canto do olho, viu um vulto que se aproximava por trás. Tomou um grande susto e, por reflexo, deu um salto para o lado, o que fez a água molhar a camisa. Ergueu os olhos e viu que ao seu lado estava um jovem que o observava com olhar penetrante e um sorriso de canto de boca. Chamava a atenção a cor de sua pele, tão negra e lisa que chegava a brilhar. Era alto como um jogador de basquete, tinha o cabelo rente à cabeça e usava roupas discretas e sapatos surrados. Daniel arregalou os olhos. De repente, o rapaz alongou o sorriso, deixando a mostra dentes incrivelmente brancos. Estendeu a mão.

— Assustei você? Perdão.

A gentileza ajudou Daniel a se recompor. Lentamente, estendeu a mão e apertou a do desconhecido.

— Imagine, meu irmão. Eu sou Daniel. — E, sorrindo, completou: — Mas o pessoal me chama de Crânio.[1]

---

[1] Ver *O enigma da Bíblia de Gutenberg* e *Sete enigmas e um tesouro.*

— Eu sei, a sua vinda estava sendo aguardada com ansiedade por todos da igreja — apertou a mão de Daniel com firmeza. — Missionários jovens são uma bênção! É uma alegria quando o Senhor desperta nos corações o desejo de dedicar a vida à causa do evangelho, em especial quando são adolescentes. É uma vocação maravilhosa.

Daniel sorriu com humildade, mas, também, com uma ponta de orgulho, por ter sido escolhido pelo Pai para uma atividade tão nobre e importante. O outro rapaz, então, que aparentava ter a mesma idade de Daniel, fez um gesto simpático com a sobrancelha.

— Desculpe a falta de educação. Deixe que eu me apresente. Meu nome é Malaquias, mas sou conhecido como Malak — e piscou um olho.

Daniel achou engraçado e relaxou completamente.

— Nós chegamos agora há pouco, estamos esperando o pastor Eliseu. Queremos conversar com ele sobre como podemos ajudar na obra aqui na cidade.

Malak lançou um olhar que Daniel não conseguiu interpretar muito bem.

— Ah, não se preocupe, vocês três têm muito a aprender aqui. E também muito a realizar. — Fez uma pausa e continuou: — E você, Daniel, sabe exatamente qual é o propósito de Deus para sua vinda a esta cidade?

Aquela, na verdade, era a pergunta que ele vinha se fazendo desde que tinha sido convidado pelo pastor Wilson para a viagem. Porque, sempre que era designado a realizar algo na obra de Deus, Daniel buscava compreender as razões que poderiam ter levado o Senhor a chamá-lo.

O que viera fazer ali? Qual era sua grande missão? Não sabia, mas estava atento à ação de Deus, a fim de discernir o plano traçado para ele nos dias que se seguiriam naquela cidade.

Assim, ao ouvir a pergunta, olhou intrigado nos olhos do outro rapaz. Alguma coisa nele o deixava irrequieto, mas, por outro lado, sentiu certa cumplicidade em seu tom de voz. Quando ia abrir a boca para falar, foi interrompido por uma mão estendida e um sorriso largo de dentes de marfim.

— Agora tenho de ir. Hoje tem culto, e as pessoas já estão começando a chegar. Tenho muito o que fazer. A paz seja com você.

Daniel engoliu as perguntas que queria fazer e retribuiu o gesto.

— A paz do Senhor, Malak. Nos vemos por aí.

Malak deu dois passos para trás, virou-se e caminhou pelo corredor em direção à entrada da igreja. Mas, antes de sumir da vista de Daniel, parou. Deu meia-volta e disse de forma séria e enigmática:

— Com toda certeza. Ainda vamos nos encontrar algumas vezes.

E, dando as costas, saiu.

Daniel piscou os olhos repetidamente, pensando naquele irmão. Havia nele alguma coisa estranha que não conseguia identificar. Foi quando o burburinho de gente chegando ao prédio o despertou de seus pensamentos e o fez lembrar que ele tinha de retornar para o culto. Aos poucos, as pessoas ocupavam seus lugares nos bancos.

Algumas conversavam em pé, gesticulando animadamente. Olhou para cima e percebeu que o sol já tinha se posto havia algum tempo. Era noite.

Ao se aproximar de onde estavam os amigos, notou que eles batiam papo com um homem magro, de pele queimada de sol, a cabeça quase toda careca, um pouco curvado e com uma Bíblia surrada embaixo do braço. Ao se aproximar, ouviu Carlos dizer:

— Olha aí, pastor Eliseu, esse é o Crânio.

O pastor olhou para ele, abriu os braços e, esboçando um largo abraço, o saudou:

— Daniel! Seja muito bem-vindo à bela cidade de Cruz das Almas!

◆ ◆ ◆

O culto começou com uma oração devotada e emocionada do pastor Eliseu. Podia-se perceber em sua voz o nível de profunda intimidade que ele tinha com Deus. Na conversa que teve com os três visitantes, momentos antes de o culto começar, ele havia compartilhado sua maior luta naquela cidade.

— O misticismo e as superstições são os maiores inimigos do evangelho aqui — desabafou, enquanto acomodava os colegas num quartinho nos fundos da casa pastoral. (Daniel dormiria num antigo sofá vermelho, enquanto Carlos e Binho ficariam em colchonetes, no chão.) Rapidamente, o pastor Eliseu prosseguiu explicando um pouco da história de Cruz das Almas, cidade que misturava habitantes de origens bem diferentes. Cada um trazia uma bagagem cultural cheia de histórias místicas, religiões estranhas e crenças supersticiosas. Disco voador, alma penada, saci-pererê, mula sem cabeça e boitatá eram o que de menos problemático havia entre as coisas em que se acreditava ali.

— Muitos dos que vêm para a igreja levam tempo para se desprender das antigas práticas. Há os que continuam a ler horóscopo. Há os que acreditam em extraterrestres. E há até os que acham que ler a Bíblia é como consultar um oráculo, em que você faz uma pergunta a Deus, fecha os olhos, aponta um versículo com o dedo e pensa que é o Senhor quem está dando a "sorte do dia" — explicou o pastor Eliseu.

Apesar da seriedade do que tinham ouvido, os três não conseguiram conter o riso. Foi Binho quem respondeu:

— Pelo amor de Deus, não é assim que se lê a Bíblia.

— Pois é, mas muitos dos que se convertem aqui trazem essas práticas para dentro do evangelho. Para eles, deixar de praticar a bibliomancia às vezes custa muito, é preciso muito discipulado e instrução — lamentou o pastor.

— Bibliomancia? — Carlos fez cara de quem não entendeu. Foi Daniel quem explicou:

— É o nome que se dá a essa prática de usar a Bíblia como se ela fosse uma caixinha de promessas ou um instrumento de adivinhação.

— Que horror! Isso é pecado, não é? — perguntou Carlos.

— Claro que é. Qualquer prática adivinhatória é pecado, mesmo que se use a Bíblia Sagrada como instrumento para consultar "forças superiores". Isso está muito claro em passagens como Levítico 19.26, Deuteronômio 18.10,14, 2Reis 17.17 e Isaías 2.6. Não é assim que Deus faz — explicou Daniel.

O pastor Eliseu concordou com a cabeça.

— E aqui em Cruz das Almas esse tipo de superstição é muito forte. Por isso a vinda de vocês é importante, para que nos ajudem a compartilhar com as pessoas tudo o que vocês conhecem da verdadeira doutrina bíblica. Muitos dos irmãos da igreja se convertem, mas permanecem acreditando que a vida com Deus não carece de conhecimento, como se fosse possível praticar a fé sem nenhum estudo.

Carlos deu um sorriso triste.

— Ah, na nossa cidade também tem muito disso, pastor. Gente que acha que estudar teologia "esfria" a fé da gente. Nós, que sonhamos em fazer o seminário, ouvimos muito esse tipo de coisa, infelizmente.

Daniel completou:

— É mesmo engraçado isso. Muita gente desqualifica o ensino teológico, mas se esquece de que é o próprio Deus quem capacita pessoas para o ministério de transmissão de conhecimentos bíblicos. Lá no capítulo 12 da primeira carta de Paulo aos Coríntios, o apóstolo diz que Deus estabeleceu mestres. Ora, se o Senhor não se agradasse do ensino, por que formaria tantos mestres?

— Com certeza — concordou o pastor Eliseu. — É por

essas e outras que tenho orado muito a Deus pelo que vai acontecer aqui esta semana. A ignorância bíblica é grande.

Naquele momento, Daniel sentiu enorme necessidade de orar. Pediu, então, ao pastor que se dirigissem a Deus em oração, no que todos concordaram. Faltando quinze minutos para o início do culto, deram as mãos ali mesmo e levantaram a voz em clamor ao Senhor.

◆ ◆ ◆

O culto já transcorria havia uma hora, e todos mantinham uma postura de profunda devoção. Havia cerca de sessenta pessoas no prédio, o que representava quase toda a membresia da igreja. Na hora de apresentar os visitantes, os irmãos foram saudados com carinho pela congregação. Todos fizeram questão de abraçá-los, cumprimentá-los e oferecer-lhes palavras de agradecimento e encorajamento. Era um grupo pequeno, formado em sua maioria por pessoas com poucos recursos financeiros. "Obrigado, Senhor, por essa gente tão sofrida, mas tão cheia do teu amor", orou Daniel em silêncio, comovido.

Naquela noite, o pastor Eliseu pregou com base em Atos, discorrendo sobre a importância de realizar missões e cumprir a ordem que Jesus delegou a seus seguidores: pregar e fazer discípulos. Ao final do sermão, todos oraram de joelhos e em silêncio. Em meio à calma do momento, podiam-se ouvir irmãos sussurrando pedidos de perdão pelos seus pecados, intercedendo pelos perdidos ou mesmo chorando choros abafados. Era a pura ação de Deus, manifestada na forma de arrependimento e preocupação pelo Corpo de Cristo e os pecadores. Ao fim daquele momento, o pastor Eliseu pediu que todos ficassem de pé e dessem as mãos, para a bênção final.

— Que a graça de nosso Senhor Jesus Cristo, o amor de Deus Pai e as consolações do...

Nisso, fez-se um silêncio sepulcral.

Após alguns segundos, percebendo que o pastor não continuava, Daniel abriu lentamente os olhos, para ver por que a bênção tinha sido interrompida no meio. Carlos fez a mesma coisa. E também Binho. Aos poucos, toda a congregação olhou para o púlpito. O que viram os deixou transtornados.

O pastor Eliseu estava de queixo caído. Suas mãos, congeladas no ar. Seus olhos, esbugalhados. Seu olhar contemplava fixo a porta de entrada da igreja. Todos viraram o pescoço, acompanhando a direção do olhar do pastor.

Parado na porta, com respiração ofegante, um homem. Em seu rosto, uma expressão do mais completo pavor. As pernas tremiam, as mãos chacoalhavam, os olhos transmitiam um desespero sem igual. O que mais chamou a atenção foram suas roupas, totalmente sujas de sangue.

Após alguns instantes de silêncio, em que todos permaneceram congelados, o homem abriu os lábios e pronunciou, com dificuldade e num tom de pavor:

— Socorro... vampiros... vampiros!

Capítulo 2

TERROR ABSOLUTO

Sejam fortes no Senhor e em seu grande poder. Vistam toda a armadura de Deus, para que possam permanecer firmes contra as estratégias do diabo. Pois nós não lutamos contra inimigos de carne e sangue, mas contra governantes e autoridades do mundo invisível, contra grandes poderes neste mundo de trevas e contra espíritos malignos nas esferas celestiais.

EFÉSIOS 6.10-12

A confusão tinha se instalado entre os irmãos. Uns falavam alto, outros faziam comentários baixos com a pessoa ao lado, um grupo permanecia sentado, outro grupo estava de joelhos, orando. O pastor Eliseu pediu a dois irmãos que ajudassem o assustado visitante a se sentar. Trouxeram um copo de água com açúcar e o abanaram, esperando que se acalmasse. A palavra mais ouvida entre os presentes era a pronunciada por aquele estranho momentos antes: *vampiros*.

Alguém arranjou uma camisa limpa, e o ajudaram a se livrar da blusa ensanguentada. Com uma toalha, limparam o sangue de seu rosto e de suas mãos. Quando percebeu que ele estava em condições de falar, o pastor Eliseu perguntou:

— Amigo, você está machucado?

Ainda trêmulo, o homem balançou a cabeça negativamente. O pastor prosseguiu:

— Quer nos contar o que aconteceu?

O homem parou, fixou os olhos arregalados nos olhos do pastor e, num tom de voz lento e assustado, disse:

— Foi horrível... os vampiros... eles me atacaram...

O burburinho cresceu entre os irmãos. Foi o pastor quem tentou esclarecer a explicação misteriosa.

— Como assim, "vampiros"? Você quer dizer "morcegos"?

O homem começou a tremer de novo, balançando a cabeça e as pernas.

— Não... vampiros... mortos-vivos...

A filha de uma irmã da igreja começou a chorar e a dizer: "Mamãe, estou com medo!". Uma jovem se agarrou aos braços do namorado. Um adolescente caiu sentado no banco, as pernas fraquejando. Uma senhora começou a se abanar, com falta de ar.

Ao perceber que o pânico tomava conta da congregação, o pastor Eliseu pediu aos dois irmãos que conduzissem o homem para a casa pastoral. Com passos trôpegos, ele seguiu, amparado pelos dois, até a sala, onde desabou no sofá. Auxiliado por Augusto, que observava tudo com a preocupação característica de um policial, o pastor puxou uma cadeira e sentou-se bem em frente ao homem.

Vendo que ele tremia e ainda parecia em choque, tentou outra abordagem.

— Qual é seu nome?

O homem olhou para ele, meio abobado, e respondeu secamente:

— Lúcio.

— Onde você mora?

Lúcio pensou e, como que acordando de um pesadelo, respirou fundo e balbuciou:

— No bairro da Cacuia.

— Você tem família, Lúcio?

O homem fez que "não" com a cabeça.

— Eu moro sozinho. Estava voltando do serviço quando... — e parou de falar, arregalando os olhos. O pastor Eliseu olhou para os dois irmãos, que devolveram o olhar. Estavam visivelmente assustados. Lúcio deu um suspiro e começou a relatar o que tinha acontecido.

◆ ◆ ◆

— Até amanhã, Celso.

— Tchau, Lúcio, até amanhã.

Eram sete horas da noite, e Lúcio estava cansado. Vendedor da loja de sapatos Rei dos Calçados, sua rotina era subir e descer escadas para pegar produtos e trazê-los do estoque para os clientes. Depois, tinha de se abaixar e se levantar inúmeras vezes para pôr os calçados nos pés dos clientes. Era um interminável coloca aqui, tira ali, experimenta este, prova aquele, calça, descalça... ao final do dia, estava exausto. Por isso, ansiava por chegar logo em casa, mas antes precisava trilhar uma bela caminhada. Despediu-se dos colegas e partiu para o trajeto de quarenta minutos até onde morava.

Depois de quinze minutos andando por ruas mais movimentadas, tomou um caminho ermo, por ruas escuras, que o levava ao seu bairro. Um trecho era especialmente assustador: uma região inteira na área da cidade onde ficava o cemitério municipal. Era uma das construções mais antigas num raio de quilômetros, com mais de duzentos anos de fundação, ainda da época dos escravos. Cercado por muros de pedras empilhadas, ocupava uma área extensa. Estendia-se por quarteirões e mais quarteirões. As sepulturas, erguidas em momentos variados da história, iam de simples cruzes no chão a mausoléus imensos, com esculturas sombrias em cima e profundas galerias subterrâneas.

A prefeitura quase não investia na conservação do local, que tinha sido invadido por árvores, ervas e trepadeiras. Não raro, era possível ver caixões vazios abandonados pelas alamedas, flores apodrecendo nos vasos das sepulturas e outros sinais de abandono.

Em geral, as pessoas evitavam passar perto do cemitério. Outros tantos, como Lúcio, não tinham alternativa, uma vez que se tratava do caminho mais próximo para o bairro em que morava.

Recentemente, dois grupos de pessoas tinham se tornado frequentadores assíduos do local. Primeiro, bandos de jovens, que percorriam os corredores escuros entre as sepulturas para namorar. A população de Cruz das Almas estava crescendo, e havia aumentado significativamente o número de adolescentes. Quando queriam ficar isolados, buscavam os locais mais desertos, contrariando as medidas de segurança recomendadas pela polícia.

O outro grupo eram os amigos de Catarina. Figura conhecida na cidade, Catarina era uma das mulheres mais ricas, elegantes e bonitas de Cruz das Almas. Descendente de imigrantes holandeses, sua beleza se destacava. Alta, magra, dona de cabelos muito loiros, lisos e compridos, tinha a pele bem clara, olhos azuis que pareciam de vidro e curvas que faziam os homens virar a cabeça quando ela passava.

Catarina morava no melhor bairro da cidade, na melhor casa do bairro. A verdade é que tinha dinheiro, e muito. Ninguém sabia como havia feito fortuna, uma vez que era solteira e não tinha emprego conhecido. Além disso, fazia muitas obras sociais, doava dinheiro para a caridade, tinha aberto dois asilos de idosos, um orfanato, uma creche, e todos os anos ajudava duas escolas do município com material escolar. Sua generosidade era conhecida. Sua idade era um mistério, mas especulava-se que estava na casa dos quarenta anos. Tinha uma característica marcante: a voz rouca, lenta profunda e sussurrada, que deixava os homens derretidos. Caminhava de modo nobre e decidido, com gestos aristocráticos.

Havia, porém, uma característica de Catarina que todos conheciam e todos fingiam não conhecer: ela era adepta de religiões ocultistas, o que a levava a ser conhecida como “bruxa”.

Mulheres traídas a procuravam para ter o marido de volta. Políticos iam até Catarina para ganhar eleições. Gente pobre recorria a ela para conseguir um emprego. E Catarina sempre estava disposta a receber quem quer que fosse, a qualquer hora, na sala de estar de sua casa. A ninguém recusava auxílio e, por isso, era conhecida como "a bruxa boa de Cruz das Almas".

E, embora o pastor Eliseu lutasse para mostrar que bruxaria e práticas ocultistas são práticas abomináveis para Deus, até os membros de sua igreja se referiam a Catarina com carinho.

Os frequentadores mais assíduos de sua casa eram conhecidos na região como "os amigos de Catarina". Ela não cobrava por seus serviços, mas invariavelmente eles acabavam resultando em uma visita ao cemitério. Podia ser para enterrar uma rosa amarrada a um papel com o nome de uma pessoa, colocar uma oferenda em uma encruzilhada ou mesmo sacrificar um animal sobre uma sepultura. Esses "amigos de Catarina" podiam ser vistos praticamente todas as noites no cemitério, executando os trabalhos que ela havia recomendado.

Por isso, quando Lúcio se aproximou do portão principal do cemitério e viu ao longe aquela figura espectral, parada de pé, imaginou na hora que se tratasse de um dos amigos de Catarina. Coberta de cima a baixo com roupas negras e justas, era estranhamente estática. Tão pálido era que parecia um homem albino. O rosto permanecia abaixado, como se estivesse com os olhos fixos no chão. Encostado numa estátua na entrada principal do cemitério, passava a impressão de estar aguardando alguém ou montando guarda, como uma sentinela.

A princípio, Lúcio não deu muita atenção e continuou caminhando. Mas, quando estava a apenas alguns passos de distância, percebeu algo assustador. O homem ergueu o rosto e o encarou. No momento em que seus olhares se cruzaram, o coração daquele simples vendedor de sapatos disparou, sua respiração congelou e um arrepio percorreu seu corpo da cabeça aos pés. O rosto da criatura era indescritível.

De pele branca como cera, tinha olhos completamente negros. Não apenas as pupilas. Na verdade, não havia pupilas: simplesmente todo o seu globo ocular era de um preto opaco. As sobrancelhas eram grossas e eriçadas, o cabelo loiro chegava a ser esbranquiçado. E a boca... bem, quando a boca se entreabriu, num sorriso macabro, foi possível vislumbrar dois dentes que se destacavam dos demais. Os caninos superiores eram compridos e pontiagudos, como duas presas de um animal feroz. E a língua era roxa, exatamente como a língua de um cadáver. O horror deixou Lúcio atônito. Súas pernas começaram a tremer. Mas a adrenalina chegou ao ponto máximo quando, subitamente, a criatura se lançou à frente e esboçou um movimento arqueado em direção a ele.

Naquele exato momento, de algum lugar de dentro do cemitério saiu um som de pavor indescritível. Um ruído agudo rasgou o silêncio da noite e tomou conta do ar, como se muitas criaturas estivessem gritando em agonia. Era difícil até imaginar o que era aquele barulho.

Para a mente transtornada de Lúcio, era como se tivessem aberto as portas do inferno e os berros de pavor e agonia de almas condenadas vazassem para a terra dos vivos. Aquele som maldito e a visão horripilante daquela criatura que avançava em sua direção levaram Lúcio a fazer a única coisa que seus instintos exigiam: correr!

— Aaaaaaaaahhhhhh!

Apavorado, lançou-se em desabalada carreira rua abaixo. Correu e correu e correu, até que...

À sua frente, viu uma mulher que caminhava na mesma direção que ele. Só conseguiu observar, pelas costas, que era uma mulher alta, com longos cabelos loiros, também usando um vestido negro. "Meu Deus, tenho que avisá-la!", pensou Lúcio.

— Moça! Moça! Corre! Corre! Eu...

Sem nenhum aviso, a mulher parou e se virou. O gesto foi inesperado e ele, que vinha a toda velocidade, não conseguiu frear. A trombada foi inevitável e, com o impacto, Lúcio caiu no chão. Atordoado com a pancada, demorou alguns instantes para se recuperar. Quando o susto do choque passou, levantou os olhos. O que viu o deixou ainda mais petrificado.

De cima a baixo, a mulher estava coberta de sangue. De sua boca escorria aquele líquido vermelho e viscoso, que banhava todo o seu peito. As mãos, também vermelhas e molhadas, traziam unhas compridas como garras. E o rosto apresentava os mesmos traços da criatura que tinha acabado de ver: olhos totalmente negros, pele pálida, aspecto cadavérico, as presas se destacando dos dentes.

Lúcio olhou para sua própria roupa e percebeu que, no choque, havia ficado sujo de sangue.

Por um instante, seus olhares se encontraram. Aquele ser horripilante soltou um ruído semelhante ao guinchar de um animal raivoso. Lúcio levantou a cabeça e notou que a criatura no portão os observava calmamente de longe. De repente, aquele som arrepiante surgiu novamente de dentro do cemitério. Foi o suficiente para que Lúcio saísse em disparada, sem olhar para trás, e só parasse depois de chegar à igreja do pastor Eliseu.

◆ ◆ ◆

Quando o vendedor assustado terminou de contar essa história, todos os que estavam na sala ficaram um bom tempo em silêncio, ainda chocados com o relato. O pastor Eliseu ergueu os olhos para Augusto, que encarou os dois irmãos, que se entreolharam. Tudo aquilo era fantástico demais para merecer credibilidade. O mais provável era que Lúcio tivesse tido uma alucinação ou algo assim. Estaria bêbado? Drogado? Depois de alguns instantes de silêncio, o pastor voltou-se para o policial.

— Meu irmão, você poderia levar nosso amigo aqui para casa?

Ele fez que sim com a cabeça. O pastor Eliseu, então, virou-se para Lúcio, pôs as mãos sobre seus ombros e perguntou:

— Meu caro, você gostaria que orássemos por você?

O vendedor segurou os braços do pastor e respondeu:

— Pastor, depois do que eu vi hoje, qualquer coisa que me proteja é bem-vinda...

O pastor Eliseu pôs as mãos sobre a cabeça dele e fez uma oração pausada e profunda. Ao final, terminou com o Pai-nosso: "... e livra-nos do mal. Amém".

Lúcio agradeceu, apertou a mão do pastor e saiu, acompanhado de Augusto.

— Vamos voltar ao santuário — convidou Eliseu.

Os membros da igreja continuavam reunidos, num burburinho constante. O pastor subiu ao púlpito, ligou o microfone e pediu silêncio. Todos se sentaram.

— Meus irmãos, conversei com aquele senhor. Mas a história que ele nos contou é tão absurda que acredito que seja fruto de algum desequilíbrio mental ou mesmo influência de alguma substância química. — E relatou tudo o que Lúcio lhe tinha dito. A igreja ouviu com atenção. Ao final, uma senhora se levantou e indagou:

— Mas se isso é fruto da imaginação dele, como explicar todo aquele sangue?

O pastor Eliseu ficou mudo, sem encontrar uma explicação. Outro membro da congregação, sentado do lado oposto, também se pôs de pé.

— Quem garante que não eram vampiros mesmo? Cruz das Almas tem muitas histórias sobrenaturais.

Muitos balançaram a cabeça, concordando.

— Meus irmãos, vampiros não existem! — clamou o pastor.

Uma adolescente que estava logo na frente aproveitou a deixa:

— Mas e se eles existirem e o senhor estiver errado? Eu já li muitos livros com histórias sobre vampiros. Também existem muitos filmes. E onde há fumaça há fogo!

O zunzunzum recomeçou, uns concordando e outros discordando. Estava instaurada a confusão, cada um falando mais alto que o outro.

No fundo da igreja, encostado à parede, Daniel ouvia, calado. Ele estava achando aquilo tudo muito estranho. Desde antes de sair de sua cidade, ele vinha se perguntando exatamente por que o Senhor o tinha enviado a Cruz das Almas, e aquilo parecia ser uma boa resposta: provavelmente ele estava ali para investigar aquele mistério a fundo. Seria essa a sua grande missão?

Daniel desencostou da parede e, a passos lentos, abandonou o prédio da igreja, com os irmãos em polvorosa. Saiu para o pátio e olhou para a bela lua cheia que iluminava a noite. Respirou fundo, estalou os dedos e, pronto para a guerra, falou entre os dentes:

— Vampiros... aqui vou eu!

Capítulo 3

SABER OU SENTIR

E, se alguém lhes perguntar a respeito de sua esperança, estejam sempre preparados para explicá-la.
1PEDRO 3.15

— Vo... vo... você está maluco, Crânio?! Ir ao cemitério a uma ho... ho... hora dessas? — gaguejou Carlos, piscando muito e visivelmente nervoso com aquela situação.

— Quero conhecer o local para tentar entender melhor essa história — explicou Daniel.

— Eu vou com você, Crânio. — Sempre ativo e bem disposto, Binho já se pôs de pé.

— Façam o seguinte — disse Daniel. — Antes de qualquer coisa, precisamos perguntar ao pastor Eliseu se nos autoriza a ir lá agora. Vão até ele enquanto fico aqui em oração.

Os dois voltaram para dentro do santuário, enquanto Carlos resmungava:

— Pé... pé... péssima ideia...

Daniel ficou sozinho no pátio de entrada. Ergueu os olhos para o céu, iluminado pela lua cheia, e começou a falar com seu melhor amigo. "Senhor, meu Deus e meu Pai, preciso de respostas...", e prosseguiu em uma conversa franca, de coração aberto. Após alguns minutos, encerrou a oração: "... e entrego tudo em tuas mãos. Mostra-me o propósito de minha vinda a esta cidade. Mostra-me a minha grande missão. É o que te peço, em nome de Jesus. Amém".

Então, Daniel olhou para o lado e reparou no jovem que estava ali havia algum tempo, observando e aguardando o fim da oração para falar com ele.

— Que confusão, hein? — disse Malak.

— Pois é. Estou pensando em ir ao cemitério dar uma olhada. Quer nos acompanhar?

Malak mostrou um sorriso pequeno.

— Não posso, ainda tenho coisas a fazer aqui hoje. Mas, sinceramente, acho que ir lá não vai adiantar.

Daniel olhou intrigado para o rapaz. Tinha a nítida sensação de que o jovem sabia mais do que deixava transparecer.

— É mesmo? Por quê?

Malak se aproximou. Em seguida, falou, como que num sussurro:

— Será que foi para isso que você veio aqui? Às vezes nós somos chamados por Deus para cumprir os propósitos que ele tem para nós, mas as preocupações do dia a dia acabam desviando nossa atenção e nos tirando do rumo.

— Malak, para mim parece meio óbvio que eu vim a Cruz das Almas para solucionar esse mistério. Por que logo no dia em que eu cheguei acontece isso tudo?

Malak encarou Daniel por alguns instantes. Ao final, pôs a mão sobre seu ombro e disse:

— Amado, existem muitas pessoas nesta cidade precisando ouvir a mensagem da salvação. Será que vampiros são mais importantes do que isso?

Nesse instante, Daniel ouviu a voz de Binho, que acenava para ele de dentro da igreja, em meio à confusão dos membros.

— Crânio! Ô Crânio!

Ele virou-se para Malak e fez um gesto com a mão.

— Desculpe, mas tenho de resolver esse mistério. A gente se vê. A paz do Senhor.

Malak abaixou a cabeça e deu dois passos para trás.

— Como preferir.

Daniel balançou a cabeça e entrou no templo. Foi até Binho, que estava ao lado de um Carlos bastante agitado.

— E aí?

— O pastor Eliseu disse que as atividades de evangelismo estão agendadas para amanhã de manhã, e perguntou se você não prefere dormir cedo para estar bem disposto para a programação.

Daniel olhou para o relógio de parede. Eram quase dez horas da noite. Pensou, calculou e concluiu que daria tempo.

— Eu vou, de qualquer maneira. Quero desvendar esse mistério.

Binho balançou a cabeça. Sempre disposto a fazer alguma coisa, prontificou-se:

— Então eu vou com você.

Daniel voltou-se para Carlos.

— E você?

— E... e... eu não vou, quero estar bem disposto para o e... e... evangelismo de amanhã. Mas antes de dormir vou pesquisar tu... tu... tudo que puder sobre vampiros — disse, mostrando o *smartphone* que havia trazido de casa. — E depois vou interceder por vocês.

Daniel não se espantou. Conhecia bem o jeito de seus amigos. Um era um jovem de livros, de contemplação e reflexão. O outro era enérgico, fazia e acontecia. Era preciso respeitar o modo como Deus havia criado cada um deles. As diferenças ajudavam a formar um time mais completo e preparado. Nenhum dos dois era melhor que o outro; eram complementares.

— Então, vamos. Para que lado fica o cemitério?

Perguntaram a um irmão, que deu as orientações. A entrada principal do cemitério ficava a uns dez minutos de caminhada. Saíram pelo portão da igreja e começaram a andar com passo apressado.

◆ ◆ ◆

Nina despertou e abriu os olhos. Eram oito e dez da manhã. A jovem piscou algumas vezes, tentando se lembrar de onde estava. Espreguiçou-se e respirou fundo. O sol que entrava pela janela aquecia seu rosto, denunciando que o dia já havia raiado. Ela estava de férias na escola, o que permitia que acordasse sem precisar do despertador.

Jogou os pés para fora da cama e puxou os chinelos com a ponta dos dedos. Arrastou-se até o banheiro, onde escovou os dentes, lavou o rosto, penteou os cabelos e fez sua higiene matinal.

Em seguida, foi até a cozinha. Ligou o rádio em sua estação favorita, em que pregadores da Palavra de Deus passavam o dia compartilhando reflexões, meditando em passagens bíblicas e anunciando o evangelho. Nina amava ouvir pregações. Naquela manhã, enquanto um pastor pregava com base no Sermão do Monte, ela preparava o café e passava requeijão no pão.

Terminado o café da manhã, foi até a sala e sentou-se no sofá. Aos 15 anos, Nina tinha um relacionamento especial com Deus. Ela orava muito e gostava de passar longos momentos usufruindo do que as Escrituras Sagradas lhe ofereciam. Sua Bíblia, aliás, era seu bem mais precioso. Tinha sido o último presente de seus pais antes de falecerem, três anos antes, num acidente de carro.

Agora, morando com a tia, Nina gostava de ter sempre o Livro nas mãos, como uma lembrança daqueles que tanto amava. Seus dedos percorriam as páginas com carinho, como se suas digitais estivessem acariciando a pele dos pais. Naquele momento, sentiu o desejo de orar. Inclinou a cabeça e começou a falar com Deus.

— Pai, bom dia. Sou grata por mais este dia de vida e...

Nina deliciava-se na presença de Deus. Quando já tinha passado alguns minutos orando, foi tomada por um forte pensamento, um desejo grande de fazer algo que não costumava fazer: visitar a sepultura onde seus pais estavam enterrados. Ela não tinha esse hábito, porque, como cristã, sabia que o descanso eterno daqueles que morrem em Cristo é na presença gloriosa de Deus. Estranhamente, porém, naquele momento uma enorme vontade de levar flores ao túmulo dos pais dominou seu coração. Em três anos, nunca havia feito aquilo. Mas o impulso era tamanho que Nina tomou a decisão: à tarde, faria uma visita ao local onde eles estavam enterrados.

O cemitério de Cruz das Almas.

◆ ◆ ◆

Quando Daniel e Binho começaram a se aproximar do portão principal do cemitério, sentiram um frio na espinha. O lugar tinha um aspecto macabro, como cenário de filmes de terror. Tudo o que ouviam era o distante cantar de um galo e piados de corujas. Os dois pararam diante do portão centenário e observaram, calados. Muros de pedra margeavam as sepulturas. Ervas cresciam nos vãos entre as paredes. Logo na entrada, no átrio, uma grande estátua de pedra representava, conforme a tradição católica, a mãe de Jesus sobre um pedestal.

Antes de atravessarem o portão, Daniel decidiu fazer uma oração. Chamou Binho e, juntos, pediram a Deus que os protegesse. Após algumas rápidas palavras, respiraram fundo e entraram. Começaram a andar por entre as sepulturas, à procura de algo que lhes desse uma pista sobre a perturbadora história contada por Lúcio. Mas, aparentemente, estava tudo calmo. A lua cheia iluminava o caminho, lançando uma coloração azulada ao escuro da noite.

O cemitério de Cruz das Almas era um verdadeiro labirinto de sepulturas e mausoléus. Estátuas enormes ornamentavam alguns dos túmulos, dividindo o espaço com fotografias e nomes dos mortos. Os dois amigos percorreram os corredores por cerca de quarenta minutos, sem encontrar nenhuma pista que pudesse ajudá-los. Já estavam falando em desistir, quando...

— Crânio... olha aquilo — Binho apontou para a frente.

A uma boa distância, conseguiram avistar um vulto. Na noite, não era possível enxergar direito; parecia mais uma entre tantas estátuas. Com uma diferença: começou a se mover em direção a eles. Num primeiro momento, os dois ficaram paralisados, tentando entender o que estava acontecendo. Mas, quando se deram conta, não havia mais dúvidas: uma criatura com forma humana caminhava diretamente até eles com passos largos. Um calafrio sacudiu os dois ao mesmo tempo.

— Crâniooooooooo... — balbuciou Binho, como que pedindo socorro.

Daniel não teve reação. Na verdade, não sabia o que fazer. Então, começou a recitar em pensamento o salmo 70: "Por favor, Deus, livra-me! Vem depressa, SENHOR, e ajuda-me!". Ao mesmo tempo, tentava se convencer de uma coisa:

— Vampiros não existem, vampiros não existem, vampiros não existem...

A criatura, porém, se aproximou ainda mais, e os dois amigos puderam ver que ela carregava na mão algo parecido com um cajado ou uma foice. Foi a gota d'água.

— Corre, Binho! — exclamou Daniel, ao mesmo tempo que se virava e disparava na direção contrária à do vulto.

O pânico tomou conta dos dois. A adrenalina embotou o pensamento de Daniel. Tudo o que conseguia fazer era mexer as pernas. Os dois jovens começaram a correr, mas logo se deram conta de que não faziam a menor ideia de que caminho tomar. Em meio àquele labirinto de sepulturas, perderam completamente a direção da saída.

Na pressa, Daniel tomou o caminho da direita e Binho, o da esquerda. Quando se deu conta de que havia perdido o amigo de vista, Daniel pensou em voltar, mas o instinto de preservação o impediu. Correu, correu e correu sem parar, até que, finalmente, deu de cara com o muro. Seguiu junto do muro por um bom tempo, margeando-o, e por fim chegou ao portão do cemitério.

Foi quando ouviu um grito. Era a voz de seu amigo. Um grito assustador que rasgou a noite. Em seguida, fez-se silêncio. Um silêncio de morte.

◆ ◆ ◆

Daniel piscou seguidamente, enquanto tentava organizar os pensamentos. Tinha abandonado seu amigo. O medo o havia dominado. Por um lado, a razão e a lógica lhe diziam que não tinha o que temer, uma vez que vampiros simplesmente não podiam existir. A Bíblia era clara no livro de Hebreus: "Cada pessoa está destinada a morrer uma só vez, e depois disso vem o julgamento". A ressurreição dos mortos era uma certeza, mas apenas pelo poder de Cristo. E as Escrituras deixam claro que é impossível um morto voltar à vida, a menos que seja ressuscitado por Deus. Não era o caso.

Na hora do aperto, porém, a razão parecia não funcionar. Daniel estava sendo movido unicamente por suas emoções. Era um erro grave, e ele sabia disso. Quantas vezes não tinha ouvido o pastor Wilson advertir contra deixarmos que nossa vida seja dirigida por aquilo que sentimos?

"Não *sentir* a presença de Deus não quer dizer que Deus não está presente. A Palavra diz que onde dois ou três estiverem reunidos em seu nome, ali ele estará. Portanto, nós não temos que *sentir* a presença dele, mas *saber* que ele está entre nós", ensinava o pastor.

Assim, Daniel sabia muito bem que a fé cristã não pode se nortear pelos meros sentimentos, uma vez que o coração humano é enganoso. Muitas vezes, o que realmente importa é o que a pessoa *sabe*, com base no conhecimento racional das Escrituras. Ali no cemitério, porém, sua natureza frágil e humana o fez cometer aquele erro. Ele *sentia* medo, embora *soubesse* que vampiros não podiam existir. O medo o venceu, e ele partiu rapidamente em direção à igreja.

◆ ◆ ◆

Binho tinha perdido Daniel de vista. Olhou por sobre o ombro e viu que o vulto continuava atrás dele. De estatura pequena, com pernas curtas por causa da idade, Binho começou a perder terreno. A cada nova curva, a silhueta se aproximava mais e mais, e o pânico só fazia crescer.

De repente...

O pé de Binho se prendeu em algo. Não dava para ver se era uma pedra ou uma planta, mas, fosse o que fosse, fez o jovem perder o equilíbrio e despencar com toda força no chão. Tudo aconteceu em um segundo, e Binho foi atirado ao solo, de cara numa poça de lama. Só deu tempo de sentir a barriga ralar no chão e a testa chocar-se contra algo duro. A lama entrou em sua boca e em seus ouvidos.

Estatelado no chão, Binho não sabia como reagir, perdido entre o susto e a dor. Então, o jovem se lembrou da criatura que o perseguia. Virou-se rapidamente. Mas já era tarde demais.

Olhou para o alto, a tempo de ver uma figura masculina com o céu enluarado ao fundo. A criatura devolveu o olhar e esticou a mão em sua direção. O desespero paralisou Binho. Ao longe, um galo cantou. Quando a criatura agarrou seu pescoço, ele se sentiu impotente. De repente, tudo escureceu.

Capítulo 4

O CANTO DO GALO

Se um cair, o outro o ajuda a levantar-se. Mas quem cai sem ter quem o ajude está em sérios apuros. [...] Sozinha, a pessoa corre o risco de ser atacada e vencida, mas duas pessoas juntas podem se defender melhor. Se houver três, melhor ainda, pois uma corda trançada com três fios não arrebenta facilmente.

ECLESIASTES 4.10,12

Nina tomou banho com calma. Tinha passado a maior parte da manhã em oração. Ela sabia que não era brincadeira o versículo que diz: "Busquem, em primeiro lugar, o reino de Deus e a sua justiça, e todas essas coisas lhes serão dadas". Ela nada conseguia fazer se, pela manhã, não tivesse investido tempo em oração. E, agora que estava de férias, aproveitava para orar ainda mais do que normalmente fazia.

Ela achava engraçado como alguns de seus amigos da igreja viam a oração, como se fosse uma obrigação, algo entediante e chato. Para ela era o contrário: tratava-se de uma grande alegria! Era a hora em que parava para bater papo com Jesus, seu melhor amigo. Ela lhe contava as novidades e os sonhos e compartilhava as tristezas e as decepções. Às vezes, ela se pegava rindo ao fazer um ou outro comentário. E, é claro, como em toda boa conversa, ela não tagarelava sem parar: tirava momentos em silêncio para ouvir o que seu amigo tinha a lhe dizer.

Nesses momentos, Nina se acalmava e deixava a voz de Deus inundar seu coração e depositar certezas em sua mente. Não, não havia nenhum entretenimento que lhe desse tanta alegria quanto esses momentos de intimidade com seu amigo Jesus.

E, naquela manhã, num desses momentos dedicados a devoção, Nina sentiu no íntimo a necessidade de visitar a sepultura dos pais. Não sabia por que, mas é o que estava em seu coração. Por isso, tomou banho e se arrumou para sair. Mas, então, ouviu um barulho familiar: o som da porta de sua casa se fechando. Sorriu. Vindo da entrada ouviu aquela voz conhecida, calma e serena:

— Bom dia, Nina.

◆ ◆ ◆

Daniel correu muito, até ficar sem fôlego. O medo que sentia era um combustível potente. Mas, à medida que o coração desacelerava, o pensar superava o sentir e a razão voltou a determinar suas ações. “Espere aí, vampiros não existem! A Bíblia deixa claro que isso é impossível!” Parou. Ainda ofegante, refletiu por alguns instantes.

Então, um pensamento invadiu sua mente, acelerando seu coração.

— Binho!

Preocupado apenas consigo mesmo, Daniel tinha deixado o amigo para trás. O instinto e as sensações tinham sido mais fortes que a amizade, o zelo e a união dos irmãos. E ele só pensou em si... Naquele momento, ao longe, ouviu um galo cantar.

"Meu Deus...", gelou.

Daniel havia abandonado o amigo, deixando-o entregue ao perigo. Como um soldado covarde, tinha fugido da batalha e deixado seu companheiro para trás. Sentiu-se o último dos homens.

Respirou fundo. Nunca era tarde para consertar um erro. Por mais que se sentisse o pior amigo do mundo, acreditava que ainda teria tempo para remediar sua atitude egoísta e resgatar Binho. Assim, deu meia-volta e disparou novamente rumo ao cemitério. Correu sem parar, até deparar com a estátua que ficava no portão de entrada. Então, sem hesitar, enfiou-se por entre as sepulturas.

Daniel não se lembrava exatamente de onde se perdera de Binho, mas tinha uma vaga impressão do lugar. Fez a única coisa que podia naquela hora: "Senhor, meu Deus e meu Pai, leva-me ao lugar certo". Caminhou por algum tempo, até que...

Ao dobrar a esquina de uma alameda, bem numa encruzilhada, encontrou Binho. Diante de Daniel havia um homem parado, de pé, com seu amigo desacordado, nos braços, encarando-o. Ao seu lado, encostado em uma tumba, um longo cabo de madeira, semelhante a um cajado. Um arrepio percorreu a nuca de Daniel. Teria aquela criatura feito algo com seu amigo? Será que Binho estava bem? E agora? O que fazer?

Ficaram se encarando por alguns segundos. Então, dando um passo à frente, o homem saiu das sombras e se deixou iluminar por uma das lâmpadas fracas que apontavam o caminho. Daniel piscou algumas vezes, apertando os olhos, tentando entender o que se passava.

Agora, com a luz da lua reforçada pela iluminação da lâmpada, pôde enxergar melhor o homem. Não havia, na verdade, nada de assustador ou vampiresco nele. Era uma figura até bastante comum. A cabeça pelada era ladeada por ombros largos e braços longos e envelhecidos. A barriga proeminente denunciava uma vida sedentária. A aparência era a de alguém com mais de sessenta anos. As roupas eram surradas, e a camisa estava suja da lama que escorria do desmaiado Binho. O que se parecia com um cajado era na verdade uma pá de escavar. Apertou os olhos e reparou que o homem respirava com dificuldade.

— Vai ficar olhando ou vai dar uma mão?

A pergunta fez Daniel sair do estado de paralisia em que se encontrava. Percebeu, então, que o homem fazia muita força para carregar Binho. Foi até ele e, gentilmente, tomou os braços do amigo nos seus. Com o peso dividido, o estranho fez uma cara de alívio e apontou com a cabeça.

— Por aqui.

Ainda meio confuso, Daniel sentiu segurança no gesto

daquele desconhecido e seguiu seus passos. Foram caminhando em silêncio por entre as sepulturas, até que chegaram a um casebre que ficava em uma das extremidades do terreno. Era um pequeno barraco de paredes de madeira e teto de zinco. Ao entrar, Daniel se viu em um cômodo simples, com poucos móveis e iluminação precária, com um pequeno banheiro anexo. Caminharam até uma cama de armar na parede oposta à porta. O homem deitou Binho no colchão, enquanto deixava escapar um gemido de quem tira das costas um fardo pesado.

Sob a luz fraca, Daniel conseguiu enxergar melhor aquele senhor: barba por fazer, roupas encardidas, suor pingando pela testa. Depois de algum tempo tentando recuperar o fôlego, o homem lançou a interrogação:

— Posso saber o que estão fazendo aqui uma hora dessas?

A pergunta pegou Daniel desprevenido. Ia dizer o quê? Que estava caçando vampiros? Envergonhado pela verdade, ele, que já tivera péssimas experiências no passado por ter contado mentiras,[1] esqueceu-se das lições aprendidas e deixou-se levar mais uma vez.

— É que... a gente... é de fora e resolveu... passear aqui... — mentiu.

O homem o encarou como se estivesse olhando para um louco. Sua resposta deixou o jovem encabulado.

— Isto aqui é um cemitério, menino estúpido! Não é

---

[1] Ver *O enigma da Bíblia de Gutenberg*, primeiro volume da série "As aventuras de Daniel".

lugar para passear. Gente burra como você faz burrice como essa e dá nisso! — e apontou para Binho, que permanecia desacordado.

Daniel não sabia se concordava ou se se sentia ofendido pelo xingamento. O homem estava visivelmente irritado. Mas, então, lembrou-se do provérbio que diz: "A resposta gentil desvia o furor, mas a palavra ríspida desperta a ira", e disse:

— Desculpe, o senhor tem toda razão.

Desconcertado pela resposta inesperada de Daniel, o homem resmungou alguma coisa, virou as costas, pegou um saco de gelo na geladeira e se pôs a cuidar de Binho. A pergunta saiu naturalmente:

— E quem é o senhor?

Sem levantar a cabeça, respondeu:

— Reginaldo, cuidador e enterrador de mortos do cemitério de Cruz das Almas.

Daniel achou engraçado o modo de falar daquele homem. Compreendeu que ele era o zelador e coveiro, mas tinha explicado sua profissão de um jeito peculiar.

— Por que o senhor correu atrás da gente?

Novamente sem levantar a cabeça, o homem respondeu:

— E por que vocês fugiram de mim?

Daniel deu um ligeiro sorriso. Pelo simples fato de ter *sentido* em vez de *raciocinado*, uma coisa simples tinha se tornado um grande problema. Passaram alguns minutos em silêncio, até que Binho deu sinais de que estava voltando a si.

— Ai, que dor de cabeça... — murmurou.

Reginaldo foi rápido na resposta.

— Queria o quê, menino sem noção! Você deu com a cabeça no pedregulho!

Como quem desperta de um longo sono, Binho olhou em volta, fez uma careta, reconheceu o amigo e, embaraçado por aquelas palavras, indagou:

— Crânio, o que houve?

— Você caiu e bateu a cabeça.

Binho pensou por alguns segundos. E, desperto, fez cara de quem se lembrou de algo.

— E o vampiro que estava atrás da gente?

Daniel sorriu e olhou para Reginaldo, que devolveu o olhar, surpreso.

— O "vampiro" na verdade era esse senhor, que trabalha aqui no cemitério. Era ele quem estava atrás da gente. E foi ele quem o socorreu quando você caiu.

Binho fez um ar envergonhado, enquanto cuspia um pouco de lama seca que estava em sua boca.

— Então não era vampiro?

A resposta de Reginaldo fez os dois amigos ficarem em silêncio:

— Vocês não deviam brincar com essas coisas. Cruz das Almas é um lugar cheio de ligações com o sobrenatural, e é neste cemitério que as coisas acontecem. Já vi de tudo aqui. Se eu fosse vocês, ficava longe e dizia para todos os seus amigos que fizessem o mesmo.

Aquele comentário deixou o ar pesado. Daniel apertou os olhos. Estava claro que Reginaldo sabia de alguma coisa, mas não queria falar. Com ousadia, disparou:

— E o que o senhor sabe sobre vampiros?

O coveiro olhou para ele, em silêncio. Ficou assim por alguns segundos, estudando-o. Depois se virou, caminhou até a porta e a abriu.

— Seu amigo está melhor. Vocês já podem ir embora.

Os dois se entreolharam. Binho se levantou, esfregou as mãos e se dirigiu para fora, arrastando os pés. Daniel saiu atrás. Foi seu amigo quem quebrou o gelo.

— Obrigado por cuidar de mim, senhor.

Reginaldo resmungou alguma coisa, constrangido pelo agradecimento, enquanto fazia que ia fechar a porta. Os amigos já estavam se virando para ir embora quando o coveiro se voltou para eles e disse:

— Vou repetir: no lugar de vocês, eu sairia logo daqui. Se existem vampiros em Cruz das Almas, são do pior tipo. Vão embora, rápido, e não voltem nunca mais para este cemitério!

E, virando-se, bateu a porta.

Daniel quebrou o silêncio.

— Está na cara que ele sabe sobre os vampiros.

Os dois ficaram se olhando. Mas foi Binho quem deu a deixa.

— Vamos embora por hoje, Crânio. Estou cansado, imundo e com dor. Pode ser?

Daniel concordou.

— Pode. Mas amanhã eu volto aqui. Há muito mais por trás dessa história do que a gente sabe até agora. E estou achando que Deus me trouxe a Cruz das Almas para solucionar este mistério.

Os dois tomaram o caminho da alameda principal do cemitério e se dirigiram ao portão de entrada. Ganharam a rua e foram andando em direção à igreja.

Distraídos, não notaram os dois pares de olhos que os observavam de longe. Eram olhos sem pupilas, totalmente escuros. Opacos e sem vida.

A figura espectral voltou-se para a companheira, que o encarou em silêncio. À distância, perceberam o nervosismo de Daniel. Então, deram as costas e caminharam lentamente até um dos maiores mausoléus do cemitério. Sobre a porta de entrada, podia-se ler uma inscrição centenária: FAMÍLIA VAN LEIDEN. A noite já avançava e, em poucas horas, o sol nasceria.

Dirigiram-se para a porta do mausoléu. Ela fez um gesto de cabeça, e ele puxou com força a pesada peça de madeira trabalhada que separava o interior do mausoléu do mundo exterior.

Foi então que, com um ranger, a porta se moveu, permitindo a passagem de um som arrepiante de gritos e gemidos, que vinha do subterrâneo. Os dois entraram, e ele a fechou atrás de si. O silêncio voltou a tomar conta do cemitério. Era hora de descansar, pois estava chegando a noite pela qual vinham esperando.

Capítulo 5

IMERSO EM PENSAMENTOS

Este é o significado da parábola: As sementes são a palavra de Deus. As sementes que caíram à beira do caminho representam os que ouvem a mensagem, mas o diabo vem e a arranca do coração deles e os impede de crer e ser salvos. As sementes no solo rochoso representam os que ouvem a mensagem e a recebem com alegria. Uma vez, porém, que não têm raízes profundas, creem apenas por um tempo e depois desanimam quando enfrentam provações.

LUCAS 8.11-13

Daniel despertou e olhou para o relógio de parede.

— Essa não!

Deu um pulo quando se deu conta de que já eram onze e meia da manhã: o trabalho de evangelismo estava marcado para as nove. Ao seu lado, Binho roncava. O colchonete de Carlos estava enrolado junto à parede, com uma pilha de lençóis dobrados em cima. Tinham ido dormir tão tarde que perderam a hora.

Levantou-se, arrumou-se e saiu. A igreja estava vazia. Nem sinal dos irmãos. Deviam estar todos engajados no evangelismo. Daniel ficou chateado consigo, mas... bem, agora não havia mais nada que pudesse fazer. Então, ao sair pelo portão da igreja, avistou ali, solitário, apoiado com os braços sobre o muro, o jovem alto que já lhe era familiar.

— Bom dia, Malak. A paz do Senhor.

— O Senhor seja com você, Daniel — retribuiu o jovem, com um sorriso luminoso.

— Onde estão todos?

— Estão no evangelismo desde cedo.

— E você, não foi?

Malak balançou a cabeça.

— Não recebi autorização para isso. Minha tarefa hoje é ficar cuidando do santuário. — Daniel chegou ao seu lado e pôs-se a olhar a rua também. — Mas você tinha de estar lá, não? Estavam todos contando com você.

A repreensão fez Daniel se sentir envergonhado.

— Eu sei... mas ontem fui ao cemitério investigar os tais vampiros e cheguei muito tarde. Precisei dormir um pouco mais.

Malak abaixou a cabeça e sorriu. Olhou para Daniel e piscou o olho.

— Bem, amanhã de manhã tem mais. Você não vai perder esse, vai?

Daniel balançou a cabeça, negativamente. Malak mudou o tom de voz. Agora ele estava sério.

— E aí? Encontrou os vampiros?

Com ar de sabichão, Daniel respondeu:

— Não, mas temos algumas pistas.

Malak calou-se. Os dois ficaram em silêncio por alguns instantes. Daniel compartilhou o que vinha pensando.

— Eu ouvi as histórias sobre essa senhora chamada Catarina. Dizem que ela é uma "bruxa", ou algo do tipo, mas uma "bruxa boa". Meu palpite é que ela pode ter alguma informação. Dizem que ela mexe com ocultismo, então, sabe como é, essas coisas todas devem estar interligadas.

Malak assumiu um ar grave.

— Daniel, não existem bruxas boas. Você não sabe o que a Bíblia diz sobre feitiçaria?

Ele sabia. Mas sua sede por respostas era grande, e ele acreditava que a tal "bruxa boa" poderia ajudar. Por isso, simplesmente ignorou o comentário.

— Bem, Malak, tenho de ir. Você vai ficar por aqui?

— Por enquanto, sim. Mas daqui a pouco estou liberado. Ainda tenho algumas coisas para resolver hoje.

— Então mais tarde nos vemos. Fique na paz.

Daniel saiu, deixando para trás o jovem, com um ar preocupado. Malak o observou até sumir na distância. Fechou, então, os olhos e começou a falar com Deus.

◆ ◆ ◆

No caminho para o centro da cidade, Daniel percebeu que os acontecimentos da véspera tinham movimentado toda a população de Cruz das Almas. Por onde quer que passasse, ouvia pessoas comentando sobre o assunto, e a palavra *vampiro* era entreouvida em todas as conversas. Era, sem dúvida, o assunto do momento.

De acordo com as instruções que lhe deram, seguiu até o bairro mais rico da cidade. Perguntou a algumas pessoas, até que descobriu onde Catarina morava. Era uma casa grande, com um jardim verde e florido na frente. Olhou longamente para a fachada, pensativo. Daniel gostava muito de ler, e recentemente tinha lido alguns livros de sucesso sobre bruxos que fazem o bem. Quem sabe aquela mulher fosse um deles?

Tocou a campainha e esperou. Ouviu passos no interior da casa e a maçaneta da porta girando. Quando ela se abriu, Daniel se surpreendeu: à sua frente, um adolescente de cabelos escuros e lisos, óculos arredondados de aros grossos e roupas escuras. Tinha um ar simpático, que lembrava aquele típico menino intelectual que existe em toda escola. O jovem olhou para ele e, com voz mansa, o saudou.

— Bom dia, Daniel.

A sensação foi de espanto. Como aquele rapaz conhecia seu nome? Daniel era de fora da cidade, não tinha dito a ninguém que iria até ali, exceto Malak. Será que...?

— Meu nome é Henrique, e eu sou o aprendiz de Catarina. Estávamos aguardando você.

O espanto duplicou. Daniel hesitou por um instante, mas decidiu seguir em frente. Enquanto passava pela porta, perguntou-se baixinho o que estaria acontecendo.

— Mas, como...?

Henrique sorriu, enquanto apontava o sofá. Com ar misterioso, respondeu sem olhar para seu visitante:

— A vantagem de pertencer ao grupo a que pertencemos é que sabemos de coisas que ninguém mais sabe.

A resposta de Henrique deixou Daniel intrigado. Imaginou-se como seu xará bíblico, na cova dos leões. Quis orar, mas uma estranha inquietação fazia seus pensamentos se embaralharem. Olhou em volta. Em cima dos móveis havia um monte de badulaques, imagens e patuás. Eram elefantes indianos, objetos com desenhos e símbolos místicos, pinturas de pessoas que ele não conhecia. Nas paredes, quadros antigos coloriam o ambiente, todos com molduras finamente trabalhadas. Os móveis tinham aspecto centenário, o que dava àquela sala de espera um ar de palácio europeu. Nas estantes, muitos livros. Havia literatura oriental, de religiões ocultistas, obras com símbolos estranhos na capa e até uma Bíblia. Em comum, o fato de que eram todos livros ligados a religião. Daniel passava os olhos sobre tudo aquilo quando foi interrompido por uma voz mansa, grave e suave.

— Olá, Daniel, que prazer recebê-lo aqui.

O rapaz tomou um grande susto. Sem que a tivesse visto entrar, percebeu que Catarina estava sentada em uma enorme poltrona acolchoada, observando-o com um sorriso de canto de boca e um cigarro entre os dedos.

— Ahn... bom dia, senhora, eu...

— Pode me chamar de Catarina — interrompeu. — É assim que os amigos se chamam, não é? Pelo nome.

— Ahn... sim, Catarina, com certeza.

Abrindo um largo sorriso, aquela deslumbrante mulher, de longos cabelos dourados, perguntou:

— Em que posso ajudar?

— Ahn... eu vim até aqui porque ontem aconteceu uma coisa muito estranha. E, pelo que me falaram a seu respeito, imaginei que talvez pudesse me dar alguma informação.

Catarina riu, divertida.

— Fico feliz de saber que um rapaz cristão percebe que é possível pedir ajuda a alguém como eu.

Não sabia se tinha sido pelo que ela disse ou pelo fato de ela saber tanto sobre ele, o fato é que Daniel sentiu um gosto amargo na boca. Quis orar. Mas não conseguia se concentrar. Foi Henrique quem assumiu a conversa.

— Daniel, o que nos une é o desejo de fazer o bem. Cada um do seu jeito, mas trabalhando pelo mesmo objetivo. Veja, nós temos amigos de muitas crenças religiosas. E agora acreditamos que você pode fazer parte do nosso grupo. Você, um cristão!

Daniel se espantou. Quando ia abrir a boca, foi interrompido gentilmente por Catarina.

— Nós fazemos parte de uma sociedade composta de pessoas de diversas religiões que trabalham pelo bem comum. Nós nos ajudamos, nos amparamos e prestamos socorro uns aos outros quando necessário. Vimos em você um potencial candidato para unir-se a nós — sorriu, enigmática.

Aquilo de certo modo mexeu com a vaidade de Daniel. Afinal, entre tantas pessoas, logo ele tinha sido cogitado para ingressar na tal sociedade!

— A verdade, Catarina, é que...

Henrique o interrompeu:

— Você não precisa dar nenhuma resposta agora. Apenas pense com calma.

Catarina completou:

— Se você decidir fazer parte do nosso grupo, nunca

mais terá de se preocupar com dinheiro, emprego, bens materiais ou coisas do tipo. Nós cuidamos uns dos outros — ela se levantou, caminhou até ele e sentou-se ao seu lado no sofá, trazendo consigo um delicioso perfume. — Unir-se a nós é ter poder, Daniel. Eu soube, por exemplo, que você perdeu a bolsa de estudos da faculdade.[2] Se estivesse no nosso grupo, não teria de se preocupar com isso.

Daniel espantou-se.

— Mas como é que vocês sabem tanto sobre mim?

Catarina e Henrique se olharam, sorrindo. Foi ele quem respondeu.

— Nosso pessoal está em toda parte. E sempre buscamos indivíduos com grande potencial, como você, para unir-se a nós. Temos muito a oferecer. Aliás... você acha que foi Deus quem o trouxe a Cruz das Almas? — lançou um olhar misterioso. — Não foi não. Fomos nós! Deus não tem nenhum plano especial para você aqui, se é o que você imagina, nenhuma grande missão.

E, depois de alguns segundos de suspense, completou:

— Mas nós temos.

Daniel ficou estupefato. Durante todo o tempo, ele vinha tentando descobrir qual era exatamente o propósito de Deus em trazê-lo para Cruz das Almas, e agora lhe diziam que não havia nenhum plano de Deus para a sua viagem! Isso o incomodou profundamente.

A proposta tentadora de Catarina se apossava de seus

---

[2] Ver *Sete enigmas e um tesouro*, segundo volume da série "As aventuras de Daniel".

pensamentos. Tentou lembrar alguma passagem bíblica que pudesse contradizer o que Henrique estava falando, mas sua mente estava tão confusa com toda aquela novidade que não conseguiu se concentrar. Vendo o estado de Daniel, Catarina deu mais um golpe em sua fé:

— Sei que pode ser difícil de acreditar nisso agora, mas muito em breve você vai perceber que Deus não só não trouxe você aqui com nenhum propósito específico, como também o está abandonando. Deus está abandonando você, Daniel!

Havia algo de hipnótico naquela mulher. Por alguma razão, ele acreditava no que ela estava dizendo. Mas seus anos de frequência à igreja, seu conhecimento bíblico e todas as experiências que tivera com o Senhor não o deixavam crer totalmente naquelas palavras. Percebendo isso, Catarina estendeu uma mão e disse:

— Você não precisa acreditar nisso agora. Sei que minhas palavras estão gerando conflito no seu coração. Mas daqui a não muito tempo você vai perceber claramente que o seu Deus o abandonou.

Daniel ia falar alguma coisa, mas foi interrompido por Henrique.

— E quando isso acontecer, pense na nossa proposta. Nossas portas permanecerão abertas.

Daniel pensou na proposta: uma vida de facilidades, uma fraternidade que cuidava uns dos outros e fazia o bem, independente da religião. O que poderia haver de mal nisso?

— Prometo que vou pensar — disse, com sinceridade.

Catarina pousou uma mão em sua perna.

— Tenho certeza de que você não vai se arrepender.

A proximidade daquela bela mulher deixou Daniel um pouco nervoso. Então, o choque provocado pelo toque da mão de Catarina o despertou. Naquele momento, lembrou-se do que viera fazer ali.

— Vou pensar, sim. Mas agora eu queria perguntar sobre o que ocorreu ontem. Vocês ouviram a respeito?

Henrique sorriu.

— Nesta cidade as fofocas correm rápido. Quanto aos vampiros...

Subitamente, algo aconteceu. Sem nenhuma explicação aparente, Catarina deu um pulo do sofá, visivelmente nervosa. Com um jeito contrariado, virou-se para Daniel e disparou:

— Você tem de ir agora. Já. Henrique, conduza nosso amigo à saída.

E, dando as costas, retirou-se apressadamente.

Henrique agora aparentava nervosismo. Pegou Daniel pelo braço e praticamente o arrastou até o lado de fora. Olhando para os lados, como se estivesse com medo de alguém ou de alguma coisa, fechou a porta rapidamente, sem se despedir.

Daniel não entendeu nada. O que poderia ter assustado seus novos amigos? Ficou parado um tempo. Virou-se e começou a andar de volta para a igreja a passos curtos, os pensamentos a mil por causa de tudo o que tinha ouvido. Seria verdade que Deus o tinha abandonado? Que não havia nenhuma razão para ele ter ido ali? Que ele deveria se unir àquele grupo de pessoas? Que havia "bruxos bons"? Imerso em dúvidas, o jovem e confuso missionário partiu para encontrar seus amigos.

Do outro lado da rua, escondido pela sombras, um outro jovem o observava com olhar fixo, profundo e penetrante.

Malak.

◆ ◆ ◆

— Bom dia, Nina.

A saudação familiar fez Nina sorrir. O tom doce daquela voz a tinha embalado nos últimos três anos. Era uma voz fraca e tímida, mas repleta de carinho. A voz de alguém que a tinha discipulado nos últimos anos. A voz de sua tia, Ana Paula.

— Oi, tia! Chegou da rua? Saiu cedo.

— Sim, fui ao médico. Tudo bem por aqui? — e deu um beijo na sobrinha, que retribuiu.

Nina, que tinha acabado de sair do banho, passou os braços em volta da cintura da tia.

— Estou pensando em levar flores à sepultura dos meus pais hoje.

Ela fez cara de intrigada.

— É mesmo? Você não costuma fazer isso. O que deu em você?

— Não sei. Mas você mesma sempre me ensinou a honrar a memória daqueles que vieram antes de nós, não é? Das pessoas importantes da nossa história?

A tia sorriu. Nina tinha tocado num ponto delicado. Logo que Ana assumiu a guarda da sobrinha, após a morte dos pais dela, começaram a ter uma área de atrito em sua convivência: Ana Paula frequentava uma igreja de uma denominação e Nina, de outra. Ana prezava pelas tradições e pelos hinos clássicos, por cultos mais litúrgicos, enquanto a jovem gostava de louvores animados e batia palmas. Essa diferença exigiu que tivessem longas conversas. A coisa boa é que tinham conseguido chegar a um equilíbrio. Um elemento foi fundamental para isso: livros.

Ana Paula deu a Nina livros sobre a história da Igreja, que, a princípio, ela não deu muita atenção, por achar que se preocupar com as tradições era "coisa de crente frio". Mas, para agradar a tia, começou a ler. E se apaixonou. Descobriu a importância do testemunho dos mártires da Igreja primitiva. Aprendeu com os escritos dos patriarcas e teólogos dos primeiros séculos de cristianismo. Compreendeu a importância da Reforma Protestante e da doutrina da graça. Por fim, tomou consciência de que a Igreja evangélica como é hoje é resultado de dois mil anos de tradições, histórias, lutas, debates e, sobretudo, da ação de Deus. E, como jovem inteligente que era, foi obrigada a concordar com a tia que olhar para todos aqueles séculos de caminhada de fé é fundamental para saber quem cada cristão é hoje e para refletir sobre o futuro.

Por outro lado, ela também apresentou à tia a força da espiritualidade. Mostrou a importância de viver um relacionamento pleno com o Espírito Santo e que é possível ser devotada no louvor sem transformar a adoração em uma bagunça.

Assim, as duas se ajudaram a vivenciar um cristianismo mais equilibrado, autêntico e bíblico, uma fé que somava conhecimento, razão, espiritualidade e, acima de tudo, intimidade com Deus.

— É verdade, nós somos fruto da vida dos que viveram antes de nós, e temos que honrar sua memória — concordou a tia, com um beijo em sua cabeça.

Nina sorriu, agradecida.

— Então mais para o final do dia vou ao cemitério, tudo bem?

— Claro, meu amor, vai sim.

O que ambas não sabiam naquele momento é que a ida de Nina ao cemitério teria um papel fundamental na trama dos vampiros de Cruz das Almas.

◆ ◆ ◆

Daniel caminhou de volta para a igreja, mergulhado em pensamentos. Tudo o que Catarina e Henrique lhe falaram havia abalado suas convicções. As dúvidas não paravam de surgir.

Que mal poderia haver em uma sociedade com pessoas de grupos secretos cujo intuito fosse fazer o bem? Será que não estava sendo radical demais ao julgar os que praticam tais coisas? Foi pensando nisso tudo que chegou à porta da igreja. A tarde já caía, e havia um burburinho entre os irmãos que ali estavam. A primeira pessoa conhecida que encontrou foi Carlos.

— Ei, Crânio, a paz de Cristo! Você perdeu o evangelismo. Foi uma bênção.

Daniel sorriu.

— Ah, mas foi por uma boa causa. A gente precisa dormir, não é? — justificou-se, piscando um olho. Continuou: — E amanhã tem mais, esse eu não perco.

Deu um abraço no amigo e se dirigiu à casa pastoral. Ali encontrou o pastor Eliseu, que não conseguiu disfarçar certo ar de decepção.

— Olá, meu irmão, a paz do Senhor. Sentimos sua falta.

Daniel contou em detalhes tudo o que tinha acontecido na véspera, a perseguição e o encontro com Reginaldo. Mas, por alguma razão, preferiu não contar sobre sua ida à casa de Catarina. O pastor mostrou-se preocupado com Binho.

— Como ele está?

Daniel procurou tranquilizá-lo.

— Deve estar com um galo enorme na cabeça. Mas eu não me preocuparia, ele tem uma cabeça dura.

Nisso, uma algazarra fez-se ouvir do lado de fora da igreja. Um jovem bateu nervoso na porta da casa pastoral. O pastor o convidou a entrar e arregalou os olhos ao ouvir a frase entrecortada pela falta de fôlego.

— Pastor... pastor... o cemitério! O senhor... precisa ir lá! Precisa!

Sem hesitar, o pastor Eliseu chamou Daniel. Os irmãos que estavam na igreja gesticulavam e falavam nervosamente. O grupo saiu, e todos caminharam juntos em direção ao cemitério de Cruz das Almas. Os dez minutos de percurso foram tensos. Quando chegaram ao local, havia uma multidão diante do portão principal. Alguns estavam de joelhos. Outros falavam alto. Outros ainda apenas apontavam e sussurravam. Um pequeno pandemônio tomava conta do lugar.

Daniel se enfiou no meio das pessoas e, aos poucos, conseguiu atravessar a massa humana. Ao chegar à frente, diante do portão de entrada, viu a estátua de pedra. Mas havia nela algo diferente que o deixou perplexo: dos olhos da imagem escorriam dois filetes de um líquido vermelho, que desciam pelo rosto e pingavam do queixo. Foi do meio da multidão que um grito expressou a visão que todos estavam tendo. Um homem nervoso e agitado apontou para a imagem e, alto e bom som, deu um berro:

— A imagem está chorando sangue!

Capítulo 6

NA VIDA REAL A COISA É SÉRIA

Não se ponham em jugo desigual com os descrentes.
Como pode a justiça ser parceira da maldade?
Como pode a luz conviver com as trevas?
2Coríntios 6.14

A noite tinha acabado de cair. A escuridão pairava sobre Cruz das Almas, e a cidade estava deserta. Em menos de 24 horas, vampiros foram vistos no cemitério e uma estátua de pedra no mesmo local havia chorado sangue. A população agora estava apavorada. Todos tinham se trancado em suas casas, com medo. Muitos falavam sobre o fim do mundo. Ninguém ousava se aproximar do cemitério, e os que se atreviam a sair de casa percorriam curtas distâncias, às pressas e olhando para os lados.

De repente, a porta de um dos mausoléus do cemitério se abriu. No mesmo instante, um som horripilante invadiu o céu de Cruz das Almas. Era como o som de milhares de seres em agonia, vindos de gargantas roucas e sofridas que gritavam a todo pulmão.

Um pé pisou na área à frente do mausoléu. Depois, outro. Em seguida, outro par de pés fez o mesmo. As duas criaturas que saíram do mausoléu passaram pela porta e a fecharam atrás de si, silenciando aqueles gritos apavorantes. Com seus olhos totalmente negros e opacos, ele olhou para ela, que sorriu de volta. Sem dizer uma palavra, caminharam pelos corredores entre as sepulturas, até que chegaram à frente do casebre de Reginaldo. Pararam.

Como se tivesse sentido a presença dos dois, o coveiro abriu a porta lentamente e olhou por uma fresta. Depois de um instante de hesitação, abriu-a, deixando a luz do interior do barraco iluminar o rosto dos vampiros. Com um semblante grave, deu três passos em direção às criaturas. Sem mexer uma sobrancelha, dirigiu-se ao ser do sexo masculino.

— Será esta noite?

O vampiro balançou a cabeça, negativamente. Foi ela quem respondeu, com uma voz seca e monótona.

— Amanhã. Esteja preparado.

Reginaldo fez um gesto com a cabeça, mostrando que tinha entendido. Deu meia-volta e retirou-se para dentro do casebre. Antes de entrar, virou-se e disse:

— Quero deixar claro que não concordo com o que vocês estão fazendo. As pessoas desta cidade são boas e não mereciam passar por isso. Vocês poderiam ter feito tudo de modo diferente.

Os dois vampiros se olharam, em silêncio. Novamente, foi ela quem falou.

— Você está sendo muito bem pago para colaborar conosco. Espero que não se esqueça do nosso acordo. — E, depois de uma breve pausa, completou: — Para o seu próprio bem.

Reginaldo foi sacudido por um tremor. Sentiu o coração bater fora de ritmo, e uma leve vertigem fez que ele se apoiasse na parede. Tentou disfarçar o mal-estar. Encarou a dupla, virou-se e fechou a porta atrás de si. Os dois deram meia-volta e seguiram em direção ao portão principal. Ela virou-se para o companheiro e sussurrou, num tom rouco:

— Acha que ele será um problema?

Ele pensou um pouco e respondeu:

— Se nos incomodar ou interferir em nossos planos, damos um jeito nele. — E soltou uma risada baixa e nervosa.

Caminharam ainda por algum tempo, até que chegaram ao portão. Foram em direção à estátua e observaram o sangue que escorria dos olhos. Sorriram. De repente, um som fez que virassem a cabeça.

A rua deserta estava em silêncio total, e qualquer ruído chamava a atenção. Ao perceber que um vulto se escondia nas sombras, do outro lado da rua, entraram em estado de alerta. Ele se eriçou todo e emitiu um ruído seco da garganta. Ela abriu a mandíbula e projetou os dentes, deixando à mostra os caninos, afiados e pontiagudos como os de um animal selvagem. Estavam prontos para atacar.

Nas sombras, alguém se mexeu. Deu poucos passos à frente, deixando-se iluminar pela luz fraca de um poste da rua. Seu rosto exibia bravura e, ao mesmo tempo, pavor. Os dois vampiros apertaram os olhos para ver melhor quem era o tal que ousava invadir seus domínios. Quando, enfim, perceberam de quem se tratava, ele sorriu.

Era Daniel.

◆ ◆ ◆

A multidão que se espremia em frente à estátua da porta do cemitério falava sem parar e emitia gritos de medo, dúvida e espanto.

— A estátua está chorando!

— É o fim do mundo!

— Os vampiros vão matar todos nós!

— Temos de pedir ajuda a Catarina!

— Quero minha mãe!

Foi quando alguém disse algo que apavorou a todos os que estavam ali:

— O sol está se pondo! Temos de correr para casa!

Aquela foi a deixa. O povo começou a sair às pressas do local. O lixeiro largou a vassoura encostada em um muro e abandonou o posto. As mães pegaram os filhos pequenos no colo para poder andar mais rápido. As crianças abandonavam seus brinquedos pelo caminho. Em pouco tempo, o local estava deserto: todos tinham partido, junto com os últimos raios de sol. Ficaram ali somente Daniel, o pastor Eliseu, Augusto, Carlos e Binho. Com um ar de tristeza, o pastor disse aos demais:

— Vamos voltar para a igreja. O culto de hoje começa daqui a uma hora e meia.

O grupo pôs-se a caminho, arrastando os pés, pensativo.

Foi Carlos, visivelmente nervoso e piscando mais do que nunca, quem trouxe à tona o que todos estavam pensando em silêncio.

— Pa... pa... pastor, o q... q...que o senhor acha disso tudo?

O pastor Eliseu demorou um tempo para responder, enquanto organizava as ideias. Escolhendo bem as palavras, disse:

— Temos de ver tudo à luz da Bíblia, e não de ideias místicas ou superstições. O povo pensa de acordo com o que vê na televisão, nos filmes, nas lendas populares e nas histórias de ficção. Mas o cristão verdadeiro tem de refletir com base nas Sagradas Escrituras.

— E como é que analisamos essa loucura toda à luz da Bíblia? — indagou Augusto.

— Bem — fez uma pausa reflexiva. — Em primeiro lugar, temos de entender que a existência de vampiros é impossível, pois a Palavra afirma que depois da morte vem o julgamento.

— Ma... ma... mas não é possível que alguém tenha feito um fe... fe... feitiço e invocado os mortos?

O pastor Eliseu foi enfático.

— A prática de invocar os mortos é totalmente condenada pela Bíblia. Entre os povos antigos que viviam próximo a Israel, na época do Antigo Testamento, muitos tinham religiões cujas práticas incluíam invocar espíritos dos mortos e rituais semelhantes. É por isso que o Senhor alerta claramente contra essas práticas satânicas. O capítulo dezoito de Deuteronômio diz: “Não permitam que alguém do povo pratique adivinhação, use encantamentos, interprete agouros, envolva-se com bruxaria, lance feitiços, atue como médium ou praticante do ocultismo, ou consulte os espíritos dos mortos. Quem pratica tais coisas é detestável ao SENHOR".

Daniel se admirou com o conhecimento bíblico do pastor. Que diferença fazia o estudo teológico! Ele mesmo, que sempre se dedicava a ler e investigar as Escrituras, sentia grande alegria diante daqueles que buscavam compreender a Deus com base no conhecimento racional dos ensinamentos do Senhor, transmitidos por meio da Bíblia. Mas Daniel era humano. E, como tal, tinha seus momentos de fraqueza. A conversa com Catarina brotou em sua mente, e ele questionou o pastor.

— Esse texto fala também da prática de bruxaria e feitiçaria. Mas não seria possível haver pessoas que pratiquem essas coisas com boas intenções?

O pastor Eliseu olhou para ele com seriedade.

— Daniel, não se pode fazer o bem por meio de práticas más.

O jovem fez cara de interessado, o que encorajou o pastor a prosseguir.

— Vamos supor que vampiros existam. Como você pode acreditar que alguma coisa boa possa vir de uma criatura que foge da cruz de Cristo?

Os jovens balançaram a cabeça, concordando. Foi Binho quem falou:

— É verdade, nem tinha pensado por esse ângulo. Por mais charmosos, sedutores e heroicos que sejam os vampiros dos livros e dos filmes, se você quiser afastá-los, o principal método é apontar para eles uma cruz. A cruz os repele totalmente. E como pode ser bom alguém que não suporta olhar para a cruz do nosso Senhor?

— Mas e quanto aos bruxos? Não seria possível haver bruxos bons? — insistiu Daniel, pensando em Henrique e Catarina.

O pastor Eliseu deu um sorriso.

— Daniel, desse tipo você só encontra nos livros de ficção e nos filmes. Na vida real, você tem de se lembrar do que a Bíblia diz.

— E o q... q... que é que ela diz? — indagou Carlos.

— Vamos lá. A Lei de Deus determina: "Não pratiquem adivinhação nem feitiçaria".[1] As Escrituras também afirmam: "A rebeldia é um pecado tão grave quanto a feitiçaria, e persistir no erro é um mal tão grave quanto adorar ídolos".[2] No segundo livro de Reis, a bruxaria é apresentada como uma das causas das tribulações de Israel: "Como pode haver paz enquanto estamos cercados da idolatria e da feitiçaria de sua mãe, Jezabel?".[3] No mesmo livro, é dito: "Manassés também sacrificou seu filho no fogo. Praticou feitiçaria e adivinhação e consultou médiuns e praticantes do ocultismo. Fez muitas coisas perversas aos olhos do Senhor e, com isso, provocou sua ira".[4]

---

[1] Levítico 19.26

[2] 1Samuel 15.23

[3] 2Reis 9.22

[4] 2Reis 21.6

Daniel escutava tudo, calado. Augusto arriscou também um comentário:

— E não podemos esquecer, pastor, que a feitiçaria é apontada em Gálatas cinco, versículo vinte, como uma das obras da carne, ao lado de pecados como imoralidade sexual, idolatria, raiva, divisões e inveja.

O pastor Eliseu sorriu.

— Muito bem. E isso fica claro no livro de Apocalipse, quando o destino dos bruxos e feiticeiros é apontado com muita objetividade. Diz o texto: "Mas os covardes, os incrédulos, os corruptos, os assassinos, os sexualmente impuros, os que praticam feitiçaria, os adoradores de ídolos e todos os mentirosos estão destinados ao lago de fogo que arde com enxofre. Esta é a segunda morte".[5] E, para concluir: "Do lado de fora da cidade ficam os cães: os feiticeiros, os sexualmente impuros, os assassinos, os adoradores de ídolos e todos que gostam de praticar a mentira".[6]

Nisso, chegaram à porta da igreja. O grupo estava refletindo sobre as palavras do pastor, que concluiu:

— Portanto, meus amigos, o resumo de tudo isso é que bruxaria, consulta a mortos, adivinhações e outras práticas ocultistas são coisas abomináveis aos olhos do nosso Deus, e aqueles que a praticam vão sofrer as consequências por isso. Bruxinhos bonzinhos e feiticeiras engraçadinhas só mesmo em historinhas de criança e livros e filmes para adolescentes. Na vida real a coisa é séria!

---

[5] Apocalipse 21.8

[6] Apocalipse 22.15

O pastor pediu licença e foi se trocar para o culto. Cada um seguiu para o seu lado, a fim de organizar o que lhe cabia fazer. A mente investigativa de Daniel não parava de funcionar, e mil possibilidades atravessavam seu pensamento. Ele ficou pensativo por muitos minutos na porta da igreja, até que um toque em seu ombro o despertou. Olhou para o lado e viu o belo jovem que o encarava.

Era Malak.

◆ ◆ ◆

A tarde já avançava, e Nina ainda não havia saído de casa, imersa que estava em seus pensamentos. Embora se sentisse impelida a visitar a sepultura dos pais, algo em seu coração lhe dizia que ainda não era hora. Por isso, foi cuidar de outros afazeres, tirou o pó de alguns móveis, fez um lanche e conversou algum tempo com a tia. Mas, com a aproximação da noite, decidiu sair.

— Tia, vou lá visitar a sepultura dos meus pais. — E recebeu de volta um abraço.

Uma vez que não tinha saído de casa recentemente, Nina estava totalmente alheia ao bochicho em torno dos vampiros ou da estátua que chorou sangue. Sua tia também não era adepta de fofocas e nada sabia sobre as discussões que predominavam na cidade. Assim, nem se preocupou em alertar a sobrinha sobre possíveis perigos.

Nina, então, rumou ao cemitério. Pegou a bolsa, apanhou o telefone celular, reuniu outros objetos indispensáveis para sua locomoção pela cidade, preparou um buquê de flores e saiu.

Logo percebeu algo estranho. As ruas vazias e silenciosas denunciavam alguma coisa estranha no ar. Mas, como não deparava com ninguém pelo caminho, não tinha nem como perguntar a respeito. Assim, prosseguiu pelas ruas da cidade, que conhecia tão bem.

De repente, a jovem percebeu uma presença e ouviu uma voz bem conhecida. Sorriu.

— A paz seja com você, Nina.

Ela estancou o passo e virou-se em direção à voz.

— Malaquias, meu querido, que saudade!

Capítulo 7

PREPARE-SE PARA MORRER

Alguns judeus viajavam pelas cidades expulsando espíritos malignos. Tentavam usar o nome do Senhor Jesus, dizendo: "Ordeno que saia em nome de Jesus, a quem Paulo anuncia!". [...] Certa ocasião, o espírito maligno respondeu: "Eu conheço Jesus e conheço Paulo, mas quem são vocês?". O homem possuído pelo espírito maligno saltou em cima deles e os atacou com tanta violência que fugiram da casa, despidos e feridos.

ATOS 19.13,15-16

Já era noite. Faltavam poucos minutos para o início do culto. Na porta da igreja, os dois se encaravam com seriedade. Foi Malak quem abriu a conversa.

— Daniel, não vou tomar muito do seu tempo, pois o culto já vai começar e não é correto chegar depois do início. — Malak deu um passo em direção ao jovem. — Olha... não perca o foco do que você veio fazer em Cruz das Almas. Para que você viajou até aqui? Isso ainda não está claro para você? Ainda não sabe qual é a missão para a qual o Senhor o enviou?

Daniel não sabia. Os acontecimentos tinham sido tão

tumultuados desde que havia chegado que o foco de sua missão não estava claro. Sobretudo depois da visita à casa de Catarina. Se antes ele se perguntava qual seria o propósito de Deus para a sua viagem a Cruz das Almas, agora Daniel se questionava se haveria, de fato, um propósito. A verdade é que ele não tinha ainda percebido o direcionamento de Deus. Malak continuou.

— Amanhã de manhã faremos evangelismo de novo. Estamos falando aqui do destino eterno de almas humanas, Daniel. Vidas estão em jogo.

Daniel sabia que era verdade. Mas aquilo tudo tinha mexido com suas emoções. Vampiros, bruxas, sociedades secretas... isso tudo era muito empolgante! E charmoso! Ele queria saber mais sobre o mundo sobrenatural e os grupos que influenciavam secretamente a humanidade. E, agora, ele tinha conhecido Catarina e Henrique, que o tinham convidado para fazer parte, adquirir conhecimentos, saber o que poucas pessoas sabem. De repente, como que lendo seus pensamentos, Malak emendou:

— Daniel, não perca tempo com aquilo que não passa de vaidade. Lembre-se de buscar em primeiro lugar o reino de Deus e a sua justiça, e então todas as outras coisas lhe serão dadas. Lembre-se da parábola do semeador: a semente que ficou fascinada com as coisas do mundo foi sufocada e morreu. Você foi plantado em terra fértil, não deixe isso mudar. Não tire os olhos da cruz.

Aquelas palavras deixaram Daniel pensativo. Mas os primeiros acordes do louvor começaram, e sua concentração se dispersou.

— Valeu pelo conselho. Agora tenho de entrar.

O rapaz chegou para o lado e deu passagem. Daniel fez um gesto com a cabeça e entrou no santuário. Havia pouquíssimas pessoas. No máximo, umas cinco ou seis. Os acontecimentos e o medo tinham espantado os membros. O culto transcorreu bem, com muitos momentos de oração. O pastor Eliseu entendia que aquele era um período que exigia intercessão, por isso oraram intensamente. Ao final, os irmãos se despediram e voltaram apressados para casa.

O pastor Eliseu convidou Daniel, Binho e Carlos para jantar e, durante a refeição, conversaram bastante sobre o evangelismo da manhã seguinte. Estavam animados com a oportunidade de levar o evangelho a Cruz das Almas de forma mais abrangente. O pastor via a presença dos três missionários como uma oportunidade de dar novo gás às iniciativas de evangelização.

A conversa estava tão envolvente que quase se esqueceram da história dos vampiros. Terminado o jantar, ainda passaram algum tempo batendo papo e depois resolveram dormir.

Todos foram se deitar... exceto Daniel.

O jovem tinha planos. Assim que os irmãos se recolheram e ele ouviu o ronco de Carlos, levantou-se do sofá, vestiu-se e saiu sorrateiramente. Já passava da meia-noite. Caminhou pelas ruas desertas durante uns dez minutos, até que avistou o portão principal do cemitério. Ali estava a estátua, ainda coberta de sangue, que havia secado pelo passar do tempo.

Daniel não sabia exatamente o que esperar, mas encostou-se num muro e ficou abrigado nas sombras. Resolveu fazer o que todo bom cristão faz quando precisa de direção para sua vida.

— Senhor, meu Deus e meu Pai...

Permaneceu em oração por longos minutos. Até que...

Vindas de dentro do cemitério, duas sombras se deslocaram até a calçada da frente. Uma figura masculina e outra feminina caminhavam com passos firmes. A luz fraca dos postes destacava um aspecto sinistro de sua aparência: os olhos, sem nenhuma parte branca, totalmente negros e opacos, emoldurados por um rosto pálido como cera.

Um arrepio percorreu a espinha de Daniel. Era a primeira vez que avistava as criaturas. Sim, pareciam seres do mal. Os dentes caninos pontiagudos deixavam clara sua natureza. Naquele momento, Daniel encheu-se de autoridade. Estufou o peito e decidiu: ia enfrentá-los! Respirou fundo, ignorando a descarga de adrenalina que invadia sua corrente sanguínea. Agora ele sabia que Deus o tinha enviado a Cruz das Almas com o propósito de combater aquelas criaturas demoníacas! A hora era essa! O momento era *agora*!

Cheio de ímpeto, Daniel avançou. Com passos decididos, partiu em direção aos seres malignos. Quando saiu das sombras, fez contato visual. Percebeu que os dois o viram. O macho emitiu um som ameaçador. A fêmea escancarou a boca e exibiu os dentes. A batalha estava prestes a começar.

Daniel levantou a mão e deu um grito, clamando pelo nome de Jesus. O instante seguinte durou um segundo, mas pareceu uma eternidade. Os dois pararam. Olharam para ele com olhos esbugalhados. E foi então que...

Os dois seres malignos se entreolharam e deram uma sonora gargalhada.

Daniel deu um passo à frente, encheu-se de mais fé e gritou uma vez mais, invocando o nome de Jesus. Os vampiros olharam novamente para ele. Os risos cessaram. Ele franziu a testa. Ela cerrou os punhos. Da garganta do vampiro veio então a resposta, com uma voz rouca e desafiadora:

— Prepare-se para morrer.

E avançou em sua direção, a boca aberta, as mãos estendidas e os olhos cheios do mais puro ódio.

◆ ◆ ◆

Nina deu o braço a Malaquias e começaram a caminhar juntos pelas ruas desertas. Conheciam-se havia tempo. Em algumas situações em que ela enfrentou problemas em sua vida, Malak esteve por perto para ajudar. Naquele dia, ele tinha ido ao seu encontro com uma intenção diferente: despedir-se.

— Querida, tenho uma coisa para lhe dizer.

Nina franziu a testa ao perceber o tom de voz grave, embora suave, do amigo.

— Que foi, Malaquias? Você está me deixando preocupada.

Ele olhou para ela com ternura.

— Esta noite eu estou partindo de Cruz das Almas.

Nina tomou um susto. Segurou ainda mais apertado seu braço, agora com as duas mãos.

— Por quê?

Malak olhou para o céu, onde os últimos raios de sol pintavam as nuvens de laranja, com tons de vermelho e amarelo. Contemplou o rosto de Nina. Sem dar muitas explicações, prosseguiu.

— Não quero partir sem lhe dizer quanto você é especial e quanto Deus a ama.

As mãos dela tremeram levemente. Não sabia o que dizer. Malaquias era um bom amigo. No acidente de carro que levou a vida de seus pais, Nina tinha ficado presa entre as ferragens, no banco de trás. Quando o desespero tomou conta dela ao ver que os pais não respondiam aos seus gritos, foi aquela voz terna que a tranquilizou enquanto os médicos e o resgate não chegavam.

"Fique tranquila, você não está só", Malaquias disse a ela na ocasião, por entre os ferros retorcidos. Ele permaneceu conversando com ela por muito tempo, fazendo-lhe companhia e encorajando-a, até que os bombeiros chegaram e conseguiram tirá-la das ferragens. Desde então, Malak tinha sido muito importante em sua vida, com suas palavras de conforto e seus conselhos, que aqueciam seu coração com a certeza de que todas as coisas contribuem para o bem daqueles que amam a Deus. Ele sempre apontou para ela o caminho da esperança. De tudo o que sempre disse, a frase que vivia repetindo é: "Busque a Deus na Palavra. A Bíblia contém todas as respostas de que você precisa".

Foi graças a esse conselho que ela se deu conta da importância de viver em comunhão com os irmãos na igreja, mesmo quando se decepcionava com uma ou outra pessoa. Foi nas Escrituras que descobriu o que significa amar o próximo, orar pelos inimigos e dar a outra face a quem lhe faz mal. Graças ao conselho do amigo, Nina reconheceu na Bíblia a bússola para sua vida.

Infelizmente, eles não se viam com frequência. Seus encontros eram até bastante esporádicos. Mas quando Malaquias e Nina se encontravam, mesmo depois de meses sem se ver, era tudo tão intenso que parecia que tinham se visto pela última vez na véspera. E, agora, ele chegava com aquela notícia. Nina apertou forte o braço do amigo enquanto caminhavam.

— Mas você precisa mesmo partir?

Ele sorriu e fez um afago na cabeça dela.

— Sim. Mas eu ainda tenho uma última coisa a lhe dizer antes de ir.

Nina conhecia aquele tom de voz, que sempre antecedia um conselho misterioso da parte de Malak. Em seu coração, havia a certeza de que sempre que seguiu os conselhos dele acabou no caminho certo.

— Fale — encorajou.

Depois de um instante de silêncio, ele prosseguiu:

— Só quero lembrá-la de que sempre que você estiver em dúvida sobre que atitude tomar, pense no que a Bíblia diz. Tome as suas decisões, mas sempre à luz do que Deus falar ao seu coração por intermédio da Palavra.

Nina ouviu com reverência e guardou aquelas palavras.

— Pode deixar, meu amigo. Não vou esquecer. A Bíblia será sempre a minha regra de fé e também minha regra de prática para tudo o que eu fizer na vida.

Àquela altura, o céu já havia escurecido. Era noite. Chegaram à esquina da rua do cemitério e pararam de andar. Malaquias ficou de frente para Nina e lançou um olhar de afeto para ela. Com carinho, disse:

— Sabe, Jesus disse que, quando os olhos são bons, todo o corpo se enche de luz. E você tem os olhos mais bondosos que eu já vi em toda a minha vida.

Nina enrubesceu com o elogio. Abaixou a cabeça, com timidez.

— Então isso é um adeus para sempre?

Ele sorriu novamente. E disse naquele seu tom misterioso:

— É um adeus, mas não para sempre. Tenho certeza de que um dia vamos nos reencontrar.

De algum modo, aquilo desfez a tristeza que brotou no coração de Nina pela partida do amigo.

— Bem, Malaquias... se é o que você precisa fazer, que Deus seja com você.

Ela deu um passo à frente e o abraçou.

— Tchau, minha amiga.

— Tchau, meu amigo.

Ficaram abraçados por alguns instantes. Então ela o soltou, virou-se e apressou o passo rumo ao portão principal do cemitério. Caminhou rapidamente para esconder a lágrima que descia por seu rosto. Não queria que Malak visse.

Mas ele sabia.

Ficou observando Nina se afastar. Quando ela sumiu pelo portão, Malaquias respirou fundo. Nina não sabia, mas o futuro ainda lhe reservava muitas surpresas. Ela voltaria a encontrar Malak, mas só dali a muitos meses e em uma situação bem diferente...

Capítulo 8

TUDO FICOU ESCURO

O Filho do Homem enviará seus anjos, e eles removerão do reino tudo que produz pecado e todos que praticam o mal e os lançarão numa fornalha ardente, onde haverá choro e ranger de dentes.
MATEUS 13.41-42

O pastor Eliseu acordou com os raios de sol, que iluminavam seu rosto. Levantou-se, lavou-se e se arrumou. Em uma hora, a turma do evangelismo sairia pelas ruas. O silêncio imperava na casa pastoral, e apenas os roncos de Carlos cortavam o ar. Foi até o quarto onde os três jovens missionários estavam, para despertá-los. Abriu a porta devagar. Foi quando notou que havia algo errado.

O sofá onde Daniel deveria estar encontrava-se vazio.

Nos colchonetes, Carlos e Binho dormiam pesado. O pastor saiu em silêncio e procurou pelo rapaz nos outros cômodos. Foi até o santuário. Nada. Saiu para o átrio, verificou os banheiros e... nem sinal de Daniel. Preocupado, voltou para o quarto de hóspedes.

— Binho, bom dia. Carlos, vamos acordar?

Os dois se espreguiçaram e resmungaram qualquer coisa. Binho sentou-se e olhou com a cara amassada para seu anfitrião. Pelo semblante do pastor, percebeu que havia alguma coisa errada.

— Aconteceu alguma coisa, pastor?

— Vocês sabem onde está o Daniel?

Carlos olhou para o sofá vazio. E para Binho, que deu de ombros.

— Ontem nós deitamos juntos.

Os três se entreolharam.

— Vocês acham que...?

Carlos parou e pensou.

— Acho, pastor. Conhecendo o Crânio como eu conheço, provavelmente ele foi investigar a história dos vampiros e da estátua que chora sangue. Só é estranho ele não estar aqui para o evangelismo. Passar a noite fora não faz o perfil do Crânio e... — acometido pela tensão, começou a gaguejar. — Algo ce... ce... certamente aco... co... conteceu.

Ficaram em silêncio. Foi o pastor Eliseu quem tomou a iniciativa.

— Meus irmãos, vamos fazer o que podemos fazer: orar ao Senhor, pedindo providências e proteção sobre a vida de Daniel.

Levantaram-se e deram as mãos. O pastor liderou a intercessão.

— Pai amado, entregamos em tuas mãos a vida de Daniel. Senhor, livra-o do mal e...

Continuaram orando por um bom tempo. Ao final, o pastor Eliseu olhou o relógio. Em vinte minutos, os irmãos que participariam da atividade de evangelismo estariam ali. Ele queria aproveitar e conversar com Augusto, que era policial, para ver se a polícia podia ajudar a procurar Daniel.

— Vamos nos aprontar — disse.

Eram oito horas e dez minutos.

◆ ◆ ◆

A adrenalina de Daniel estava a mil. As pernas tremiam, as pupilas dilatavam. O corpo todo reagia àquela situação de perigo. O vampiro avançou em sua direção com as mãos estendidas e a boca aberta. Daniel não sabia o que fazer. Não havia um plano B. Pego totalmente de surpresa, fez a única coisa que seus instintos mandavam naquela situação: correu.

Tentou partir em direção à igreja, mas o vampiro fêmea saltou à sua frente, os caninos pontiagudos à mostra. Daniel se deteve. Estava encurralado entre as duas criaturas. O único caminho desimpedido era justamente o que ele menos queria tomar: o do portão do cemitério.

Num reflexo impensado, atirou-se em direção ao portão. O pavor corria por suas veias. Então, a voz dela ecoou em seus ouvidos:

— Não o deixe entrar no cemitério! Agarre-o!

Daniel olhou por cima do ombro. Os dois vampiros avançavam em sua direção. O instinto de sobrevivência falou mais alto que o pânico, e Daniel disparou portão adentro. Só pensava em fugir e proteger-se. Enfiou-se pelos corredores entre as sepulturas, arfando e correndo a passos largos. Conseguia sentir que os dois estavam no seu encalço. A escuridão não ajudava. Ele corria, sem saber exatamente para onde estava indo. Sentia-se afundando cada vez mais naquele labirinto de sepulturas e mausoléus. Daniel tentava bolar algum plano, mas o medo e a escuridão não o deixavam raciocinar.

"Deus..."

Foi só o que conseguiu pensar, num clamor abafado. Quando conseguiu impor certa distância sobre seus perseguidores, percebeu que aquela era a oportunidade ideal para tentar se esconder. Estava na alameda principal, onde se localizavam os maiores e mais antigos mausoléus do cemitério. Se conseguisse se abrigar dentro de algum deles, quem sabe poderia manter-se escondido até a manhã seguinte.

Daniel forçou a porta do primeiro que encontrou, mas estava trancada. Correu para o segundo. Nada. Foi para o terceiro, mas uma grande corrente impedia que se abrisse a porta. Quando chegou diante do quarto mausoléu, notou que o ferrolho cedeu com facilidade. Estava destrancado! Por um instante, teve esperança. Mas quando abriu...

O que aconteceu a seguir fez seu coração paralisar.

De dentro do mausoléu, cortando o ar e o silêncio da noite, emergiu um som indescritível. O rapaz nunca tinha escutado nada parecido. Era como se centenas de gargantas emitissem ao mesmo tempo gritos agudos e roucos, berros que pareciam uma mistura de tristeza, dor e solidão.

Um som *infernal.*

Daniel hesitou por um instante, transtornado. Aquele barulho o deixou imobilizado, com um arrepio que começava na parte de trás da cabeça e descia por braços e pernas. Cambaleou para trás, o que lhe permitiu ver a inscrição que havia por cima da porta: FAMÍLIA VAN LEIDEN. Nisso, o jovem olhou para o lado e viu seus perseguidores se aproximando. Saltou para o lado oposto, disparando por um corredor entre as sepulturas.

Correndo em meio à escuridão, Daniel não conseguia enxergar muito bem o que havia à sua frente. Foi quando deu de cara com um enorme buraco. Sem conseguir frear, foi atirado para a frente por seu próprio impulso. No embalo, o jovem mergulhou no vazio.

Seu corpo projetou-se para adiante e, sem ter onde se agarrar, despencou na cova que estava aberta no chão. Daniel bateu no fundo, com um baque. Alguém havia deixado aquela cova aberta, ao lado de um monte de terra, uma pá e um caixão vazio, provavelmente para algum serviço fúnebre no dia seguinte. A pancada o deixou zonzo. Em sua mente, tudo se tornou uma grande confusão. O som infernal que cortava os ares misturava-se a um zumbido que o impacto da queda provocou em seus ouvidos. Sua visão começou a ficar turvada.

Ainda transtornado pelo tombo, emitiu um gemido e fechou os olhos. Quando os abriu de novo, dirigiu o olhar para o alto e conseguiu distinguir duas figuras que olhavam para ele de cima. Duas criaturas vestidas de negro, com olhos sem pupilas, as presas à mostra. Trocaram algumas palavras que ele não entendeu.

De repente, o vampiro saltou para dentro da cova. Daniel esticou os braços à frente do rosto, num gesto instintivo de proteção. Mas estava exausto, e o vampiro conseguiu facilmente segurar suas mãos e o imobilizar. A criatura virou-se para a companheira e disse:

— Ele é todo seu. Faça o que tem de fazer.

A vampira saltou para dentro da cova. Daniel, enfraquecido e imobilizado, nada pôde fazer. Apenas sentiu o coração bater forte quando ela emitiu um grunhido de satisfação, esticou a mão e agarrou seu pescoço. O jovem fechou os olhos, enquanto o hálito dela invadia suas narinas.

O que sentiu a seguir foi uma pressão contra o pescoço e uma forte picada, de algo que perfurou sua pele e chegou até sua artéria. Em instantes, percebeu que todo o seu corpo começou a formigar, o ritmo do coração diminuiu e sua mente foi se apagando. Só conseguiu soltar um abafado:

— Jesus...

Antes de desfalecer por completo, conseguiu ouvir uma voz distante, que se tornou cada vez mais inaudível à medida que ele perdia os sentidos:

— Bom trabalho. Agora ele é nosso.

Subitamente, tudo ficou escuro.

◆ ◆ ◆

Reginaldo pôs-se em pé. Sabia que aquela noite seria trabalhosa e, por isso, tinha tirado a tarde para dormir e descansar. Ultimamente, vinha sentindo muito cansaço, com falta de ar e dores no peito por causa da tensão. Não gostava do que estava fazendo, mas a quantidade de dinheiro que tinham lhe prometido era muito grande. Sua ganância tinha falado mais alto que a consciência. De qualquer modo, embora soubesse que aquilo que estava fazendo era errado, sentia algum alívio de que tudo terminaria naquela noite.

Saiu do casebre e caminhou rumo a uma região mais distante do cemitério. Havia ali um portão secundário. Parou. Abriu o cadeado e olhou para os lados. Ninguém à vista na rua. Faltavam cinco minutos para a hora combinada, mas sua impaciência só fazia crescer. Passaram-se cinco, dez, vinte minutos. Caminhava de um lado para outro, irrequieto. Foi quando viu as luzes.

— Finalmente — disse.

Escancarou o portão. O brilho dos faróis ficou mais intenso. Ele chegou para o lado e deixou três automóveis passarem. Eram três carros grandes de cor escura, do tipo que transporta caixões nos enterros. Três rabecões. O primeiro parou ao seu lado. A janela desceu, e o motorista dirigiu-se a ele.

— Está tudo dentro do planejado?

Reginaldo fez que sim com a cabeça.

— Ótimo — respondeu o homem, levantando a janela e acelerando pela alameda de entrada. Em seguida, entrou o segundo carro fúnebre e, por fim, o terceiro, que também parou ao seu lado. A janela se abriu, e uma figura conhecida dirigiu-se a ele:

— Quando tudo estiver terminado você receberá seu dinheiro. Fique aqui de guarda e na volta será pago.

Ele balançou a cabeça, em concordância.

Os carros aceleraram e desapareceram na escuridão do cemitério. Reginaldo respirou fundo, a tensão do momento aumentando sua falta de ar. Fechou o portão e passou o cadeado. Agora tinha de cumprir o resto do plano. Sentou-se e esperou. Algum tempo depois, ouviu à distância aquele som que o tinha incomodado nos últimos dias. Um som como o de muitas vozes gritando juntas.

— Diabos... — murmurou, irritado.

Reginaldo não foi o único a escutar o barulho. Bem distante de onde ele estava, do outro lado do cemitério, uma jovem depositava flores na sepultura dos pais, num gesto silencioso em honra à memória deles. Ela tomou um susto e aguçou os ouvidos. Ficou alguns instantes parada, tentando identificar de onde vinha aquele ruído todo.

O som fez Nina se arrepiar da cabeça aos pés.

Capítulo 9

POR QUE, DEUS?

Não tenha medo do que está prestes a sofrer. O diabo lançará alguns de vocês na prisão a fim de prová-los, e terão aflições por dez dias. Mas, se você permanecer fiel mesmo diante da morte, eu lhe darei a coroa da vida.

APOCALIPSE 2.10

Primeiro, um zumbido apitou em seus ouvidos. Depois, foi a vez de sentir um gosto amargo na boca. Logo, assumiu o controle dos dedos, das mãos, dos braços. Passados alguns minutos, Daniel conseguiu recobrar os sentidos e sair do estado de torpor em que se encontrava.

Ele não tinha ideia de quanto tempo ficara desacordado. Parecia haver névoa à frente de seus olhos, e a iluminação escassa não lhe permitia discernir muito bem o ambiente. Lentamente, conseguiu mexer as pernas e sentou-se. O zumbido foi sumindo aos poucos, e a audição voltou a captar os sons ao seu redor.

Ouviu claramente aquele ruído de gritos que tinha escutado na véspera, embora o som estivesse distante e abafado. Olhou em volta. Encontrava-se numa pequena câmara de teto baixo, recoberta por paredes de pedra e iluminada unicamente por uma tocha presa à parede. Do teto pingavam gotas de água, num gotejar constante. Era um ambiente úmido, escuro e com ar pesado.

Quando enfim se deu conta do que era aquele lugar, foi tomado de horror: era um jazigo. Ele estava deitado no chão, ao lado de um sarcófago. A pequena câmara era isolada por uma porta de barras de ferro e separada de outras iguais por um corredor.

Daniel levantou-se e tentou abrir o portão. Trancado. Percebeu que estava preso naquela câmara mortuária, que fazia parte de um grande mausoléu, provavelmente subterrâneo. Os sarcófagos que estavam nas diferentes câmaras traziam todos o sobrenome da mesma família: VAN LEIDEN. Alguns datavam de duzentos anos antes, o que denunciava a antiguidade da construção.

Não havia dúvida: Daniel era prisioneiro. Seu pescoço latejava no local onde havia sido atacado. Passou a mão, mas, embora estivesse dolorido, não conseguiu discernir nenhum ferimento. Era como se nunca houvesse sido aberta nenhuma ferida ali.

Por que os vampiros o tinham deixado com vida ele não sabia. Mas as razões não importavam: ele agora tinha de sair daquele lugar. Pensou em orar, mas a verdade é que estava irritado com Deus.

"Deixei minha casa, minha mãe, meu irmão, meus amigos e minha igreja para vir até esta cidade, e é isso o que eu recebo de volta?", irritou-se. Naquele momento, a conversa que tivera com Catarina e Henrique veio à sua mente, e ele chegou à conclusão de que eles estavam certos. Sim, não havia propósito para sua ida a Cruz das Almas. Não havia nenhum plano de Deus. Ele não tinha nenhuma missão a realizar. Estava ali preso, solitário e sofrendo... porque Deus o havia abandonado.

Sacudiu o portão, que não se mexeu. Sacudiu de novo, com mais força, mas as pesadas barras de ferro não se mexeram.

— Socorro! Tem alguém aí?! Alô!

Silêncio.

Sentou-se no chão e começou a reclamar com Deus em voz alta.

— Não entendo! Eu vim aqui como missionário, para fazer a tua vontade... Como é que tu permites isso acontecer?

Foi invadido por uma tristeza profunda. Uma sensação de abandono invadiu sua alma, e Daniel se lembrou do salmo 22, o salmo profético que anunciava o sofrimento de Jesus em sua paixão e morte: "Meu Deus, meu Deus, por que me abandonaste? Por que estás tão distante de meus gemidos por socorro?".

Seu coração estava abatido, e sua mente sucumbia aos piores pensamentos. Quando se deu conta, foi tomado por algo terrível: falta de fé.

Daniel começou a chorar. Era um choro dolorido, de abandono e impotência. Só conseguia repetir: "Por quê? Por quê?". Sentia-se como um soldado que havia perdido a guerra.

De repente, ouviu um ruído metálico. Pôs-se em alerta.

O som era como o de uma antiga fechadura sendo destrancada, seguido do rangido de dobradiças enferrujadas. No momento em que a porta se abriu, o ambiente foi invadido por aquela enorme onda sonora, o que fez Daniel se arrepiar. Os gritos agora eram altíssimos, e ele se viu envolvido pelos berros e gemidos agudos.

Levou as mãos aos ouvidos. A porta se fechou, e os ruídos voltaram a ficar abafados. De onde estava, Daniel não conseguia enxergar o fim do corredor. Ouviu o som de passos, que se aproximavam lentamente. Uma sombra começou a se projetar no chão, revelando que alguém vinha em sua direção. Recuou até o fundo do jazigo e pressionou as costas contra a parede. O hábito o fez querer orar, mas sua revolta contra Deus o levou a pensar: "De que adianta?".

O som dos passos ficou cada vez mais alto, até que uma figura se postou em frente à câmara onde estava.

Era o vampiro.

Encararam-se demoradamente. Sob a luz da tocha, ele parecia ainda mais macabro. A iluminação lançava sombras em seu rosto. Em sua mão, um prato. Na outra, um copo d'água.

— Hora do almoço — disse, com voz lenta e baixa. — Vou abrir a porta. Eu não tentaria nenhuma gracinha se fosse você. — E fez um gesto com a mão, indicando que não se mexesse. Sacou uma grande chave do bolso e a enfiou na fechadura. Deu duas voltas e destrancou o ferrolho. Empurrou o portão e o abriu.

Quando o vampiro entrou no jazigo, Daniel sentiu um arrepio. Não teve coragem de esboçar reação alguma, sobretudo agora que sentia que sua fé em Deus estava abalada. Fizesse o que fizesse, iria se dar mal, porque não se sentia protegido por Deus.

O vampiro depositou o prato e o copo sobre o sarcófago, recuou e trancou a porta. Quando ele esboçou se retirar, Daniel tomou coragem e disse:

— Espere! O que vocês fizeram comigo? E o que vão fazer?

A criatura o encarou com aqueles olhos negros e sem vida e, num tom de voz calmo, respondeu:

— Esta noite tudo será decidido.

E saiu, com passos lentos. Daniel ouviu novamente o ruído da porta se abrir e se fechar, fazendo o barulho enervante de gritos e gemidos invadir o recinto. E, então, o silêncio.

Olhou para o prato e percebeu que estava com fome. Segurou a colher e devorou a comida. Era um guisado de galinha ao molho pardo, boiando em sangue. Devorou tudo com avidez e bebeu toda a água. Sentou-se no chão. Em outras ocasiões, naquele momento ele levantaria uma oração aos céus, num clamor sincero a Deus. Mas sua alma estava abatida e, pela primeira vez na vida, sentia-se abandonado.

Era duro admitir isso, mas tinha a triste sensação de que Deus o tinha apunhalado pelas costas. Ele era um servo fiel, que dedicava tempo e esforço para a missão delegada por Jesus a seus seguidores. Mesmo assim, tinha acabado naquela situação. Não conseguia entender, não enxergava o propósito. Lembrou-se de quanto havia se sentido importante quando se encontrou com Catarina e Henrique. Será que realmente valia a pena ser fiel ao Senhor? Dúvidas, perguntas e questionamentos agitavam sua alma.

De repente, seus pensamentos se embaralharam, num estado febril. Começou a ficar zonzo, e seu corpo passou a formigar. Sem que esperasse, tudo escureceu e ele se deu conta de que estava apagando. Um último pensamento atravessou sua mente: "Acho que... botaram algo... nessa... comida...". E caiu para o lado, inerte.

◆ ◆ ◆

Ainda confuso depois de horas desacordado, Daniel despertou no mesmo estado mental em que tinha acordado horas antes. Teria sido drogado com algum sonífero na comida? Estaria acordado ou sonhando? No estado em que se encontrava, não tinha mais certeza de nada.

Levantou-se, esticou os músculos e se aproximou do portão de ferro. Empurrou, mas estava trancado. Soltou um suspiro desanimado e apoiou a testa contra as barras de ferro. Pensativo, voltou a se lembrar da conversa com Catarina, de sua situação atual e de sua incompreensão quanto às razões por que o Pai o tinha deixado passar por aquilo. Irritou-se.

— Por que, Deus?! Por quê?!

Foi quando ouviu uma voz. Tão zonzo estava, porém, que não conseguia discernir se a voz vinha de alguém escondido no corredor ou de sua própria cabeça.

— Meus pensamentos são muito diferentes dos seus, e meus caminhos vão muito além de seus caminhos. Pois, assim como os céus são mais altos que a terra, meus caminhos são mais altos que seus caminhos, e meus pensamentos, mais altos que seus pensamentos, diz o Senhor.

Daniel recuou, assustado. Depois de um período de silêncio, ainda cambaleando, ele tomou coragem e indagou:

— Tem alguém aí?

Silêncio.

— Quem está aí? — repetiu.

Novamente, Daniel escutou a mesma voz.

— Prepare-se como um guerreiro, pois lhe farei algumas perguntas, e você responderá. Porá em dúvida minha justiça e me condenará só para provar que tem razão? Você é tão forte quanto Deus? Sua voz pode trovejar como a dele? Quem é esse que questiona minha sabedoria com palavras tão ignorantes? Prepare-se como um guerreiro, pois lhe farei algumas perguntas, e você me responderá. Onde você estava quando eu lancei os alicerces do mundo? Diga-me, já que sabe tanto.

Daniel conhecia aquelas palavras. Eram citações do livro de Jó. Mais especificamente, eram parte da resposta que Deus tinha dado a Jó depois que este se queixou longamente por ter passado por muitos sofrimentos, mesmo sendo fiel ao Senhor.

Havia algo familiar naquela voz. Seria a voz de seu coração, trazendo verdades sagradas da Bíblia de volta à sua lembrança? Ele ficou em silêncio, escutando.

— Deus disse a Moisés: “Terei misericórdia de quem

eu quiser, e mostrarei compaixão a quem eu quiser". Portanto, a misericórdia depende apenas de Deus, e não de nosso desejo nem de nossos esforços. Ora, quem é você, mero ser humano, para discutir com Deus? Acaso o objeto criado pode dizer àquele que o criou: "Por que você me fez assim?"

Eram trechos de Romanos 9.

Seria aquela a voz de...

— Malak! É você, Malak?

Mas será que se tratava mesmo de uma voz real? Ou era a voz de sua imaginação? De repente, Daniel parou. Foi como se algo houvesse estalado em sua cabeça.

Naquele momento, Daniel pensou em tudo o que a voz tinha dito até ali. Não era Deus soberano? Não agia ele de modo misterioso e muitas vezes incompreensível? Jesus não tinha nos alertado de que teríamos aflições neste mundo? Como ele pôde ter duvidado daquele que sempre o ajudou? Como pôde acreditar tão facilmente que o Pai o tinha abandonado?

Subitamente, todas as verdades bíblicas que Daniel havia acabado de ouvir caíram como uma bomba sobre sua cabeça.

Daniel percebeu, então, que há uma grande diferença entre ser provado ou disciplinado pelo Senhor e ser abandonado por ele. Lágrimas brotaram de seus olhos. Não, o Criador não tinha virado o rosto para ele! Pelo contrário: tantos servos de Deus haviam sido açoitados, presos, perseguidos e mortos e, no entanto, a Bíblia diz que foram pessoas de quem o mundo não era digno! E os mártires da

Igreja primitiva, que sofreram torturas inimagináveis por amor a Cristo, não tinham eles sofrido horrores na carne e, ainda assim, sido recebidos na glória eterna do Criador?

Daniel caiu de joelhos e cobriu o rosto com as mãos. Com voz trêmula, derramou-se na presença do Todo-poderoso:

— Sim, Deus... teus pensamentos não são os meus pensamentos, nem os teus caminhos são os meus... Não tenho como pôr em dúvida a tua justiça nem posso achar-me no direito de acusar a ti, Pai... És soberano para fazeres o que quiseres e da forma que quiseres...

Começou a soluçar copiosamente, enquanto desfilava por sua memória uma galeria de heróis da fé que sofreram terrivelmente apesar de sua fidelidade a Deus, como Jó, José, Estêvão, Paulo e tantos outros. Pensou nos apóstolos e na forma como morreram, praticamente todos executados por se recusarem a negar a fé em Cristo. Lembrou-se dos muitos homens e mulheres ao longo da história da Igreja que sofreram perseguições e derramaram lágrimas e sangue para defender as verdades da Bíblia. Chorou e chorou, num arrependimento sincero e dolorido.

— Perdão, Senhor... perdão... — era só o que conseguir dizer.

Passado algum tempo, uma paz muito grande invadiu seu coração. Daniel fez uma oração ao Senhor. Usando as palavras do profeta Habacuque, derramou sua alma:

— Ainda que a figueira não floresça e não haja frutos nas videiras, ainda que a colheita de azeitonas não dê em nada e os campos fiquem vazios e improdutivos, ainda que os rebanhos morram nos campos e os currais fiquem vazios, mesmo assim me alegrarei no Senhor; exultarei no Deus de minha salvação!

E terminou com a oração que Jesus ensinou:

— ... perdoa nossas dívidas, assim como perdoamos os nossos devedores. E não nos deixes cair em tentação, mas livra-nos do mal. Pois teu é o reino, o poder e a glória para sempre. Amém.

Daniel sentia-se mais leve. As palavras que ouvira fizeram que ele recordasse a soberania de Deus em tudo, consolidando em seu coração a certeza de que Deus estava com ele de forma firme e permanente. Independentemente do que viesse a enfrentar, sabia que o Senhor não o havia abandonado.

Pôs-se de pé. Enxugou o rosto com a camisa. Durante o tempo de sua oração, a voz tinha ficado em silêncio. Ainda confuso pelo sonífero, não sabia dizer se ouvira uma voz real ou imaginária, interna ou externa. Aproximou-se da grade e tentou olhar para o corredor escuro.

— Malak? É você?

Zonzo e sonolento, Daniel ouviu novamente a voz.

— Há mais alegria no céu por causa do pecador perdido que se arrepende do que por noventa e nove justos que não precisam se arrepender.

Aquilo ficou ecoando em seus pensamentos. "Há mais alegria no céu por causa do pecador perdido que se arrepende..."

De repente, Daniel ouviu o barulho da porta sendo destrancada.

Piscou algumas vezes e se viu completamente desperto. Agora, com toda certeza, estava acordado. E lembrou-se, então, de que o vampiro tinha dito que naquela noite "tudo seria decidido".

Sentiu um calafrio.

A hora da verdade havia chegado.

Capítulo 10

A HORA DA VERDADE

A ti eu clamo, ó Senhor, *minha rocha;*
não feches teus ouvidos para mim. Pois, se
permaneceres calado, será melhor que eu
desista e morra. Ouve minha súplica por
misericórdia, quando eu clamar por socorro,
quando levantar as mãos para o teu santuário.
Salmos 28.1-2

Daniel recuou até o fundo do jazigo. Ouviu passos no corredor, que acompanhavam aquele terrível som de gritos agudos, abafados novamente uma vez que a porta se fechou. Olhou para o chão e viu as sombras se aproximando. Junto com elas, medo e tensão pelo que poderia acontecer. Seus músculos estavam retesados. A ansiedade crescia no seu peito e, quando deu por si, estava apertando a mandíbula com tanta força que toda a cabeça doía.

Mais alguns segundos e surgiram diante do portão, a passos lentos, os dois vampiros. Olharam para ele em silêncio. O sorriso no rosto denunciava certa expectativa e uma alegria antecipada. Mas algo chamou a atenção de Daniel. Algo que parecia fora do lugar: para sua surpresa, o vampiro trazia uma pistola presa à cintura. Para que um vampiro precisaria de uma arma ele não fazia ideia.

— Chegou a hora, garoto.

Daniel se arrepiou. Tinha chegado a hora. Mas... de quê?

Os dois se entreolharam, parecendo estar se divertindo com a situação. De repente, explodiram numa gargalhada, o que fez Daniel dar um pulo, assustado. Foi a vez dela:

— Mas, antes de qualquer coisa, há algo que queremos fazer — olhou para o companheiro e de volta para Daniel. — Nós íamos fazer isso lá fora, mas decidimos fazer aqui só para ver a sua cara.

Daniel não entendia o que ela estava falando. Rindo bastante, os dois vampiros, num movimento ensaiado e simultâneo, levaram as mãos à face. Daniel ficou completamente estupefato quando, num gesto firme, os dois começaram a... arrancar partes do rosto!

Começaram com os próprios dentes. Com pequenos trancos, arrancaram, um a um, os dentes caninos. Em seguida, enfiaram os dedos nos olhos e removeram o que pareciam ser escamas gelatinosas. Depois, ante o olhar arregalado de Daniel, sacaram lenços dos bolsos e esfregaram o rosto, o que deixou os pedaços de tecido totalmente manchados. Daniel ficou ainda mais assombrado quando, por fim, pegaram uma garrafinha d'água, derramaram o líquido na boca e, depois de bochechar por alguns instantes, cuspiram um líquido arroxeado no chão.

Terminado aquele ritual, os dois vampiros ameaçadores e assustadores tinham se transformado em um homem e uma mulher. Absolutamente normais.

— O quê...? — foi só o que Daniel conseguiu balbuciar.

Ao ver o assombro do jovem, o casal desabou numa gargalhada. O homem riu por algum tempo. Até que, vendo o olhar de seu prisioneiro, esticou as mãos para a frente e deixou à mostra o que estava segurando.

— Acorda, garoto: dentadura... lente de contato... maquiagem... e anilina para deixar a língua com essa cor de cadáver — riu-se o homem.

Ainda demorou um bom tempo para entender o que estava acontecendo. Daniel, então, parou. E, enfim, compreendeu: diante dele estavam duas pessoas como outras quaisquer. O que as tinha deixado com aquele aspecto vampiresco havia sido apenas um conjunto de próteses e maquiagem de excelente qualidade.

— Então tudo não passava de... — Daniel balbuciou.

Foi o homem quem prosseguiu.

— Claro, garoto. E você realmente acreditou que nós éramos vampiros? Vampiros! — E desabou novamente numa gargalhada. — Tudo bem esses ignorantes supersticiosos de Cruz das Almas acreditarem nisso, mas *você*? Quem é o otário que acredita na existência de vampiros?

Naquele momento, Daniel, que sempre se considerava perspicaz, sentiu-se humilhado. É óbvio que vampiros não existiam. E é claro que aqueles dois não eram criaturas demoníacas, mas apenas dois seres humanos comuns, de carne e osso, usando disfarces.

Daniel havia sido tão levado pela emoção que deixou de lado a razão. Se tivesse sido menos fantasioso e se concentrado em seus conhecimentos bíblicos, não teria se deixado enganar. E, assim, teria agido de modo completamente diferente. Conhecer a Bíblia e aplicá-la de fato nas coisas da vida fazia toda a diferença. Mas, agora, levado por superstições, tinha feito tudo errado. Ficou extremamente aborrecido. Ele havia deixado de lado suas convicções e seguido a inconstância da multidão. E esse não é nem o papel nem a atitude de um verdadeiro seguidor de Jesus Cristo! O resultado é que, agora, estava naquela incômoda situação.

— Mas... — questionou ele, ainda abalado pela descoberta — ... para que isso tudo?

Os dois se olharam. Ficaram um tempo mudos. Depois pararam de rir e olharam sério para Daniel. Foi ela quem respondeu.

— Nós precisávamos que o cemitério ficasse deserto por alguns dias para realizar o que nos trouxe a esta cidade. E para isso tínhamos de inventar algo que deixasse a população da região bem distante daqui. — Depois de uma pausa, prosseguiu: — Foi quando tivemos a ideia de nos disfarçar de vampiros e de ficar na porta do cemitério espantando quem aparecesse. Com isso, garantimos que nossos amigos pudessem fazer o que precisavam fazer neste mausoléu, sem serem incomodados por ninguém.

Daniel ainda piscava, atônito com aquela reviravolta. O homem prosseguiu:

— Guardamos o local esses dois dias, e foi tudo muito mais fácil do que imaginávamos. Os "vampiros" deram um excelente resultado, e a ideia de botar sangue na estátua da porta do cemitério foi a cereja do bolo, o toque de mestre que serviu para deixar o cemitério totalmente deserto para que pudéssemos agir. Ou melhor, quase totalmente — fez uma careta. — Se não fosse você, tudo teria dado certo. O seu azar, garoto, foi ter descoberto nosso esconderijo. E não podíamos correr riscos. Aliás, não podíamos e não vamos correr!

Aquilo não soou nada bem aos ouvidos de Daniel.

— O que vocês estão planejando fazer comigo?

Os dois se olharam, e ela respondeu:

— Essa não é uma decisão nossa. Mas já, já vamos saber. As ordens que recebemos foram para deixar você aqui até que nossa chefia tomasse uma decisão. Por isso o mantivemos apagado, primeiro com aquela injeção no pescoço e depois com a comida cheia de narcóticos. — Foi então que Daniel confirmou que, de fato, quando estivera caído dentro da cova, a picada que havia sentido no pescoço era de uma injeção de anestésicos, que o fizera desmaiar.

Nisso, um telefone celular tocou. Ela enfiou a mão no bolso, sacou o aparelho e atendeu.

— Alô... aqui é Elisângela. Sim... sim, estamos prontos. — levantou os olhos e encarou Daniel. — Sim, ele está aqui. Certo... vamos levá-lo.

E desligou. Olhou para o homem e disse:

— Diogo, chegou a hora, eles estão a caminho. Pediram para levá-lo lá para cima.

Daniel tremeu. Mas, em vez de sentir-se desamparado, agora estava repleto de fé. As verdades bíblicas, antes tão embaralhadas, naquele momento o faziam ter certeza de que, qualquer que fosse o problema, o perigo ou o sofrimento, o Senhor estava ao seu lado. As palavras que ouviu daquela voz misteriosa haviam sido fundamentais para que ele se lembrasse disso. Só uma pergunta ainda o intrigava.

— Tem ainda uma coisa que não entendi. Por que, afinal, vocês queriam manter as pessoas afastadas daqui?

Diogo e Elisângela se olharam. Ele respondeu:

— Você vai ver.

A mulher destrancou o ferrolho, abriu o portão e fez um sinal para que ele saísse. O homem sacou a pistola e apontou em sua direção.

— Só não tente nenhuma gracinha.

Daniel deu alguns passos e saiu para o corredor. Olhou para a direita e viu, ao final, uma porta de madeira maciça. A um sinal de Elisângela, começou a caminhar lentamente para a saída. Ela ia na frente e Diogo, por trás, a arma praticamente colada às costas. Elisângela estendeu a mão e puxou a maçaneta da antiga porta, que se abriu com esforço.

Subitamente, aquele som horripilante invadiu o recinto. Era alto, agudo e irritante. Daniel levou as mãos aos ouvidos. Ela olhou por cima do ombro, deu um sorriso e atravessou a porta, entrando no salão seguinte. Diogo indicou para Daniel com um cutucão do cano da pistola que ele devia segui-la. Receoso, deu dois passos e atravessou a porta. Olhou em volta e ficou espantado com o que viu. Definitivamente, jamais teria imaginado o que estava diante dos seus olhos.

O recinto onde agora estava era um salão de forma circular, circundado por diversas câmaras mortuárias semelhantes àquela em que estivera preso. O teto, porém, era mais alto, em forma de abóbada. Dentro de cada câmara havia um sarcófago. Em cada sarcófago, um nome escrito, todos com o sobrenome VAN LEIDEN. Mas o que de fato chamou a atenção de Daniel não foi aquilo. Foi o que estava dentro do salão.

Espalhadas por todo o espaço, dezenas de pequenas jaulas, gaiolas e caixas empilhadas. E, dentro delas, centenas de animais. Havia ali muitas aves, dos mais variados tamanhos e cores, além de micos, saguis, macacos, tamanduás, bichos-preguiça, tatus, lobos, jaguatiricas, gatos-do-mato, antas, queixadas, iguanas e cobras. Todos gritavam, piavam, grasnavam e rosnavam ao mesmo tempo, compondo uma enorme confusão sonora. A soma de cada barulho emitido por todas aquelas centenas de animais resultava num ruído assustador, que parecia o lamento rouco e agudo de uma multidão de pessoas em agonia.

O salão estava entulhado daquelas jaulas, gaiolas e caixas. Daniel reparou que algumas abrigavam mais animais do que conseguiam suportar. Havia pássaros inertes no fundo das gaiolas, provavelmente mortos. Deu poucos passos e conseguiu avistar em um canto um balde cheio de um líquido escuro e avermelhado. Olhou com mais atenção. Havia moscas sobrevoando o recipiente e pousadas em suas bordas. Logo percebeu: era sangue. Certamente dali viera o sangue que tinha sido visto na primeira noite, escorrendo da boca da vampiro, e que, depois, alguém tinha derramado nos olhos da estátua. Tinham usado sangue de animais como mais um ingrediente da armação, forjada para assustar a população de Cruz das Almas. Tudo um grande teatro, planejado para tirar partido das superstições da população local e mantê-la longe do cemitério. "O erro de vocês está em não conhecerem as Escrituras nem o poder de Deus!", lembrou-se Daniel das palavras de Jesus em Mateus 22.29.

Diogo deu um safanão em seu prisioneiro com a coronha da arma. A pancada fez Daniel despertar de seus pensamentos. Com um gesto de cabeça, o homem o mandou seguir em frente, atrás de Elisângela. Daniel obedeceu. A mulher atravessou o salão até deparar com uma longa escada de pedra. Pé ante pé, começou a subir, enquanto Diogo e Daniel a seguiam. Chegou ao topo e destrancou o portão. O som dos animais voltou a tomar conta do céu da cidade. Os três atravessaram e saíram na alameda principal do cemitério. Daniel reconheceu a fachada do mausoléu, com o qual tinha dado de cara na noite anterior. A mulher empurrou a porta, deixando-os a sós com o silêncio na escuridão da noite. Daniel levantou uma sobrancelha.

— Então é isso... Sempre que alguém abria essa porta os gritos dos animais vazavam... — pensou alto.

Diogo deu um sorriso e falou com sarcasmo:

— E, para evitar que gente enxerida ou curiosa fosse atraída pelo barulho, resolvemos brincar de assombração.

Ele olhou para Elisângela, que fez um gesto brusco com as mãos em direção ao seu rosto.

— Bú!

Daniel não achou graça. Agora tudo fazia sentido. Já tinha lido uma reportagem sobre aquele tipo de atividade. Na verdade, o que estava acontecendo ali era um crime federal: tráfico de animais silvestres. Pela lei, nenhum daqueles bichos poderia estar em cativeiro. O comércio ilegal desse tipo de animais é uma das atividades clandestinas que mais movimenta dinheiro sujo no Brasil, perdendo apenas para o tráfico de drogas e o de armas. As condições de transporte são péssimas, e muitos bichos morrem antes de chegar ao seu destino. A matéria dizia que, segundo a Polícia Federal, todos os anos mais de 38 milhões de animais selvagens são retirados ilegalmente de seu habitat no país, sendo que 40% deles são exportados. O esquema de levar os animais para fora do Brasil envolve grupos organizados e inescrupulosos. Diogo e Elisângela certamente faziam parte de uma daquelas quadrilhas.

Então, viram ao longe a luz de faróis que se aproximavam. O ronco dos motores ficou mais alto à medida que três veículos se aproximaram pela alameda principal. Eram três carros fúnebres, de cor preta, usados para o transporte de caixões. Tinham traseiras largas e janelas escurecidas, ideais para transportar algo sem que ninguém visse — ou mesmo quisesse ver — o que havia ali.

Os automóveis estacionaram na porta do mausoléu. Dos dois primeiros carros desceram quatro homens, que, demonstrando pressa, abriram a porta traseira dos rabecões. Um deles se dirigiu a Diogo.

— Tudo certo com a carga?

— Tudo — respondeu. — Alguns bichos morreram, mas nada além do habitual.

O homem olhou para Daniel de cima a baixo.

— Esse aí é o intrometido?

Diogo fez que sim. O homem encarou o jovem missionário e correu um dedo de um lado a outro do pescoço, num gesto ameaçador, que imitava uma garganta sendo cortada. Rindo, chamou os outros três e abriu a porta do mausoléu, deixando vazar novamente aquele som perturbador. Começou então um entra e sai, com os homens trazendo as caixas, jaulas e gaiolas do sepulcro subterrâneo e depositando-as dentro dos carros. Em certo momento, Diogo, que não tirava Daniel da mira de sua arma, indagou a um dos quatro homens:

— Vai caber tudo aí nesses três carros?

O homem, que já bufava de tanto subir e descer, balançou a cabeça.

— Tem de caber. O navio sai amanhã à tarde, e já está tudo combinado. O capitão está jogando no nosso time — disse, esfregando o polegar no indicador, num gesto que fazia referência a dinheiro.

Daniel percebeu, então, que estava lidando com traficantes internacionais. Aquele local havia sido escolhido como um entreposto, onde os animais ficavam armazenados até que a quadrilha tivesse como embarcá-los no navio que os levaria ilegalmente para serem vendidos em países estrangeiros.

Um longo tempo se passou até que todas as caixas fossem transportadas para os três carros fúnebres, cujas portas mal conseguiam ser fechadas, tão cheios estavam com a carga ilegal. As caixas estavam empilhadas umas sobre as outras e, certamente, muitos daqueles animais chegariam mortos ao porto, por falta de ar ou água, pelo calor ou mesmo por estresse. Havia centenas de aves frágeis ali, que lançavam trinados desesperados no ar. Quando o trabalho terminou, um dos quatro homens olhou para Diogo e disse:

— Acabamos.

E, apontando para Daniel, completou:

— E esse aí? O que vai ser dele?

Diogo olhou para o prisioneiro.

— Quem vai decidir é a chefia.

Olhou para o terceiro rabecão, cujas portas dianteiras permaneciam fechadas desde que o veículo tinha chegado. Voltou-se para o homem.

— Está lá?

Ele fez que sim com a cabeça. Sem abaixar a arma, Diogo deu um grito em direção ao terceiro veículo.

— Chefe, o que quer que façamos com ele?

Todos olharam em direção ao carro. Momentos tensos se passaram, antes que a porta do lado do passageiro se abrisse.

Um pé tocou no chão.

Depois outro.

Logo, a pessoa que liderava toda aquela operação desceu do carro e caminhou lentamente em direção ao grupo. Daniel olhou em sua direção. Arregalou os olhos e deixou escapar, surpreso e espantado:

— Você? Então é você?

◆ ◆ ◆

O pastor Eliseu saiu com o grupo que ia evangelizar. Tinha telefonado para Augusto, avisando do desaparecimento de Daniel. Não havia muito que pudesse fazer, por isso deixou a questão para a polícia. Tinham orado muito pelo jovem, e agora a situação estava nas mãos de Deus.

Apenas um irmão tinha aparecido para o evangelismo, tão apavorados que todos estavam. Decidiu, então, que o melhor seria seguirem para o centro da cidade, onde o comércio ainda obrigava as pessoas a transitar. Eram apenas ele, Binho, Carlos e o rapaz, chamado Leonardo. Entraram os quatro no fusca azul do pastor e seguiram para o centro, munidos de folhetos evangelísticos e o pesar de preocupação no peito pelo sumiço do amigo.

Estacionaram sem dificuldade e começaram a percorrer loja por loja, falando do amor de Cristo. A certa altura, o pastor Eliseu reparou que estava em frente ao Rei dos Calçados, a loja onde trabalhava Lúcio, o homem a quem havia socorrido dias antes, na porta da igreja. Resolveu ir até lá para ver como ele estava.

— Rapazes, vou ali e já volto.

Atravessou a rua e entrou na loja. Foi recebido com o sorriso entediado de uma vendedora.

— Bom dia... Posso ajudar?

— Bom dia. Eu poderia falar com o Lúcio?

A mulher fez cara de interrogação.

— Lúcio? Que Lúcio?

— Lúcio, o vendedor. Vocês não têm um vendedor aqui chamado Lúcio?

A vendedora o encarou com cara de paisagem e ergueu os ombros.

— Desculpe, senhor, mas nunca trabalhou nenhum Lúcio aqui. Somos só eu e a Bete... — apontou para outra mulher, que olhava a rua com desânimo.

O pastor Eliseu achou estranho. Mas agradeceu, deu meia-volta e ganhou novamente a rua, com a nítida sensação de que havia algo muito esquisito acontecendo.

◆ ◆ ◆

— Você? Então é você?

Daniel olhou para a pessoa que havia saltado do rabecão. Não acreditou no que viu. Da última vez que esteve com ele, o homem estava trêmulo, com um ar apavorado e abobado. Agora, porém, Lúcio ostentava um olhar altivo, seguro e prepotente. Preso entre seus dedos, um cigarro soltava uma incômoda fumaça. Caminhou até Daniel e deu uma lenta baforada em sua cara. Esboçou um sorriso debochado.

— Sabe, se meu trabalho não me pagasse tão bem, eu poderia ganhar a vida como ator... O que você acha?

Foi então que Daniel percebeu que tudo o que Lúcio tinha contado naquela noite, na igreja, havia sido pura invenção. Lúcio tinha encenado a história dos vampiros com a intenção de instilar nas pessoas o medo de chegarem perto do cemitério. De fato, era preciso reconhecer,

Lúcio tinha sido bem convincente. Foi então que o homem estendeu a mão e, com ironia na voz, disse:

— Permita que eu me apresente. Lúcio Van Leiden, ao seu dispor.

Era isso. Agora Daniel compreendia por que aquele lugar tão inusitado tinha sido escolhido para esconder a carga ilegal!

O sobrenome do criminoso denunciou sua ligação com aquele mausoléu, que pertencia à sua família. O tom zombeteiro do traficante de animais irritou o jovem, que se recusou a devolver o aperto e permaneceu imóvel. Diante disso, Lúcio deu de ombros e recolheu a mão. O criminoso caminhou ao seu redor lentamente, observando-o dos pés à cabeça. Deu uma volta completa, enquanto soltava no ar rodelas de fumaça, e parou novamente à sua frente. Levou o cigarro aos lábios e, uma vez mais, soltou uma baforada no rosto de Daniel.

— E agora, rapaz, o que eu faço com você? — indagou, sem esperar uma resposta. — Se eu deixar você ir... vai nos entregar à polícia. A verdade é que, infelizmente, você sabe demais. Demais.

Daniel sentiu um leve arrepio. Havia algo de macabro na voz daquele homem. Em pensamento, começou a pedir o socorro de Deus. "Senhor, meu Deus e meu Pai, livra-me do homem perverso..." Naquele momento, Lúcio fechou a cara.

— Sabe... fico feliz que você seja cristão. Porque hoje você vai ter a oportunidade de se encontrar com seu Criador — sorriu, escarnecendo.

Lúcio parou um instante. De repente, deu dois passos para trás e fez um gesto para os comparsas. Dois deles avançaram e imobilizaram os braços de Daniel. O jovem tentou reagir, mas não conseguiu, pois seus adversários eram superiores em força e número. Um dos homens dirigiu-se ao chefe.

— O que fazemos com ele?

Lúcio olhou em volta, procurando uma resposta. Diogo caminhou até o chefe e cochichou algo em seu ouvido. Os dois se olharam e sorriram.

— Tragam-no aqui.

Os homens foram arrastando Daniel, que se debatia com todas as forças, em vão. Caminharam alguns metros, até que deram de cara com a cova onde ele havia caído na noite anterior. Ao lado dela havia um caixão de madeira barato, rústico, do tipo que é usado para enterrar indigentes. Pararam.

Os olhos de Daniel esbugalharam de terror.

Não é possível que eles estivessem pensando em...

Elisângela se aproximou e falou algo em voz baixa. Sorriu e pegou a arma da mão de Diogo. Apontou para Daniel e fez um gesto com a cabeça, indicando o caixão.

— O quê...?

Antes que pudesse pensar, Daniel foi violentamente conduzido por seus algozes até o esquife de madeira. Num gesto brusco, deram-lhe um empurrão e ele foi atirado para dentro, com força. Bateu no fundo com um baque seco e levou as mãos à frente do rosto, para se proteger do tiro que certamente viria.

Daniel fechou os olhos e os apertou. Naquele momento, pensou em sua mãe e em seu irmão. Nos amigos e nos irmãos da igreja. Pensou em tudo o que sua vida tinha sido até ali. A qualquer segundo viria o barulho do tiro. E o fim.

Esperou...

Mas o tiro não veio. Em seu lugar, uma sonora gargalhada de todos os que estavam ali. Abriu os olhos, lentamente. Lúcio aproximou-se do caixão e disse:

— Sabe... eu detesto sangue. Já foi horrível ter de me sujar com o sangue de passarinhos mortos para convencer aquele bando de supersticiosos ignorantes de que vampiros existem. Não quero ver sangue tão cedo. Por isso decidi que vou me livrar de você de uma forma nada sangrenta. — Fez uma pausa, deu uma risada seca e finalizou: — Mande lembranças ao Criador quando você o encontrar.

Foi então que Daniel compreendeu, aterrorizado, qual era o plano dos bandidos. Sua adrenalina foi a mil, as mãos começaram a tremer e a boca ficou seca. Tentou argumentar, mas só conseguiu emitir um grunhido e balbuciar sons sem significado. Olhou, em pânico, quando Diogo segurou a tampa do caixão e a ergueu sobre Daniel. O jovem tentou impedir que fosse fechada, mas percebeu que outras mãos empurravam a tampa para baixo. De repente... tudo ficou escuro.

— Não!!! — gritou, em desespero.

Os sons do lado de fora ficaram abafados. Logo em seguida, começaram as marteladas. As pancadas do martelo selando o caixão se misturaram ao pulsar do coração de Daniel que, atordoado com a situação, não conseguia pensar com clareza. Subitamente, sentiu tudo sacudir e, em seguida, uma batida no fundo do caixão. Os bandidos o tinham baixado à cova.

— Meu Deus... meu Deus... meu Deus... — repetia Daniel, sem conseguir esboçar um pensamento, embotado pela perspectiva agora clara diante de si: ele estava sendo enterrado vivo!

Após instantes de silêncio, um ruído ritmado começou a se fazer ouvir do lado de fora do caixão, à medida que os homens iam cobrindo o esquife de madeira com terra. Ele ouvia vez após vez o som da terra sendo jogada sobre a tampa. Aquilo durou alguns minutos torturantes. Até que...

Silêncio.

Um silêncio aterrorizante e pavoroso, que envolveu Daniel.

Ele agora estava paralisado de terror. Não havia volta. Só o que escutava era um zumbido nos ouvidos, junto com sua respiração pesada. Era fato: não havia escapatória. Daniel morreria ali. A guerra havia sido perdida.

Procurou, contra todos os seus instintos, se acalmar. O espaço era apertado e claustrofóbico, e ele mal conseguia se mexer. Não havia muito ar, e não demoraria até sufocar. Não fazia ideia de quanto tempo ainda tinha, então decidiu fazer uma última oração.

Uma oração de despedida.

Ainda era difícil se concentrar para pensar com clareza.

Por onde começar? O que dizer? Aliás... o que se diz a Deus numa hora dessas?

Parou.

Respirou fundo.

Limpou as lágrimas do rosto.

E, de repente, foi tomado por uma grande calma.

Naquele momento, um pensamento invadiu a mente de Daniel. O salmo 139. Do nada, aquele salmo brotou em sua mente. Ele começou a recitar, quase que num sussurro:

— Ó Senhor, tu examinas meu coração e conheces tudo a meu respeito. Sabes quando me sento e quando me levanto; mesmo de longe, conheces meus pensamentos. Tu me vês quando viajo e quando descanso; sabes tudo que faço. Antes mesmo de eu falar, Senhor, sabes o que vou dizer. Vais adiante de mim e me segues; pões sobre mim a tua mão. Esse conhecimento é maravilhoso demais para mim; é grande demais para eu compreender! É impossível escapar do teu Espírito; não há como fugir da tua presença. Se subo aos céus, lá estás; se desço ao mundo dos mortos, lá estás também...

Então seu coração foi envolto numa paz que não parecia fazer o menor sentido naquela situação. "Se desço ao mundo dos mortos, lá estás também...", repetiu. Naquele momento, foi como se o entendimento de Daniel captasse pela primeira vez o real significado daquela afirmação e a presença de Deus se tornasse palpável. Não porque ele *sentisse* algo, mas porque *a Bíblia afirmava* que, mesmo no mundo dos mortos, o Deus de Abraão, Isaque e Jacó estava presente. Daniel compreendeu com uma profundidade e uma solidez nunca antes experimentadas aquela verdade bíblica: *Deus estava ali*.

Diante disso, Daniel decidiu que seus últimos momentos de vida seriam gastos para agradecer. Embora seu último suspiro viesse em breve, ele tinha inúmeras razões para dar graças ao Senhor: todo o amor que tinha dado e recebido ao longo de sua breve vida, as oportunidades que teve de ajudar o próximo, as vezes em que conseguiu perdoar quem lhe tinha feito mal, as ocasiões em que deu de comer a quem tinha fome e de beber a quem tinha sede, a alegria que sentiu ao compartilhar o evangelho com os perdidos... Eram tantos os motivos que ele tinha para estender sua gratidão a Deus que, por um momento, temeu não conseguir dizer tudo antes de...

Daniel começou a sentir falta de ar. Aos poucos, o oxigênio ficava escasso. O jovem passou a embaralhar as palavras da oração. Seu cérebro já recebia uma grande quantidade de gás carbônico, que intoxicava seus neurônios. Agora era uma questão de segundos.

Parou.

Sua mente o conduziu de novo ao salmo 139. Já zonzo e fraco, continuou a recitá-lo do ponto em que havia parado.

— Se eu tomar as asas do amanhecer, se habitar do outro lado do oceano, mesmo ali tua mão me guiará, e tua força me sustentará...

Começou, então, a ver coisas estranhas. Estava tendo alucinações. Era como se estivesse dentro de um barco, se afastando da margem. Enquanto se distanciava da praia, num gesto de adeus ele recitava:

— Eu poderia pedir à escuridão que me escondesse... e à luz ao meu redor que se tornasse noite... mas nem mesmo na escuridão posso me esconder de ti. Para ti, a noite é tão clara como o dia... escuridão e luz são a mesma coisa.

No exato momento em que disse a palavra "luz", viu uma coisa estranha. Em meio à escuridão, reparou em algo que se destacava de tudo. Era como uma enorme bola de fogo à sua frente. Um grande círculo luminoso, que cegava seus olhos.

"Será isso a entrada do céu?", pensou, em meio a toda a confusão de seu cérebro. Foi quando começou a ouvir uma voz, vinda diretamente de dentro da luz, que o chamava pelo nome:

— Daniel...

◆ ◆ ◆

A voz distante se aproximava cada vez mais.

— Daniel...

Aos poucos, seus ouvidos foram captando outros sons, e ele percebeu algo estranho: a voz que dizia seu nome tinha algo de familiar.

— Daniel...

Aguçou os ouvidos. Na verdade, parecia ser a voz de... Augusto, o irmão da igreja do pastor Eliseu.

— Daniel... Daniel... Daniel...

"Que alucinação esquisita...", pensou. Aos poucos, porém, suas ideias foram clareando, e Daniel percebeu que seus sentidos começavam a se aguçar, como se estivesse acordando de um sonho. A intensidade do círculo luminoso feria seus olhos. A voz tornou-se cada vez mais nítida, próxima e audível.

— Daniel! Daniel! Daniel!

Por fim, Daniel se deu conta de que aquele círculo de luz era, na verdade, a lâmpada de uma lanterna, apontada diretamente para seus olhos. À sua volta, as imagens ganhavam contornos e nitidez. Virou a cabeça e viu Augusto, que iluminava seu rosto com o facho de luz enquanto lhe dava pequenos tapas.

— Mas o quê...?

Foi quando recuperou a consciência do que estava acontecendo. Piscou repetidas vezes e sentiu forte necessidade de tossir. Tossiu, tossiu e tossiu, até que o ar puro da noite invadiu seus pulmões. Ainda meio sem fôlego, olhou para o policial, que fez uma expressão de alívio.

— Ele está vivo, pessoal!

Lentamente, Daniel estendeu o braço em direção a Augusto, que segurou sua mão e, suavemente, ajudou o jovem a se sentar. Daniel olhou em volta.

Diante dele, a alguma distância, estavam Lúcio, Diogo, Elisângela e os demais traficantes, todos com as mãos para cima. Em seus rostos, olhares que variavam da ira ao desânimo. E, ao redor deles, um grupo de policiais com armas apontadas para cada um dos bandidos. Alguns dos oficiais bateram palmas quando ouviram que ele estava bem.

— Como você está se sentindo, meu irmão? — perguntou Augusto.

Ainda um pouco confuso, Daniel balançou a cabeça, afirmativamente, dando a entender que estava se recuperando. Parou um segundo, tentando concatenar as ideias. Com a boca seca e a garganta dolorida, agradeceu.

— Obrigado. Vocês chegaram na hora certa. Mais um pouco e eu estaria entrando pelas portas do céu...

Augusto sorriu e pôs a mão sobre o ombro de Daniel, que parou e pensou. Franziu a testa, à medida que um pensamento tomava conta de sua mente.

— Augusto... como foi que vocês me encontraram?

O policial abriu um largo sorriso. Pôs-se de pé e olhou para o lado. Apontou em direção a uma silhueta que se encontrava um pouco distante, quieta, escondida em meio às sombras.

— Aquela ali é a pessoa que salvou sua vida.

O jovem virou a cabeça na direção indicada. Em meio à escuridão da noite, em pé entre as sepulturas, estava uma figura feminina.

Era Nina.

Epílogo

O grande número de policiais espalhados pelo local e o ruído de seus *walkie-talkies* contrastavam com o silêncio que imperava no cemitério minutos antes. Alguns retiravam as jaulas e as gaiolas dos rabecões e as transportavam para os carros de polícia. Outros algemavam os bandidos e os conduziam para o camburão. Augusto permanecia ao lado de Daniel, preocupado com seu estado de saúde. Foi ele quem fez as apresentações.

— Daniel, esta aqui é a Nina.

Daniel olhou para a jovem. Quando seus olhos se detiveram com calma sobre ela pela primeira vez, seu coração aqueceu. Por alguma razão, ela havia despertado sua atenção. Nina tinha um sorriso cativante, lindos cabelos negros e baixa estatura. Mais que a aparência, porém, ele conseguia perceber que diante de si havia uma pessoa boa. Simplesmente isso: alguém que emanava bondade e generosidade. Daniel estendeu a mão, em agradecimento.

— Muito prazer, eu...

O momento seguinte foi constrangedor. Em vez de apertar sua mão, a jovem o ignorou e deixou Daniel com o braço parado no ar. Durante alguns segundos, a situação foi um pouco embaraçosa. Mas, então, Daniel notou algo. Ela não apenas não estendia a mão de volta, como também não fixava o olhar em sua direção, como se estivesse distraída, olhando para algo atrás dele. Daniel observou melhor e foi então que reparou.

Nina era cega.

Ele ficou sem reação por um momento, mas logo completou:

— ... sou Daniel.

A jovem abriu um largo sorriso.

— Que bom que você está bem, Daniel, fico muito feliz — disse.

Daniel olhou para Augusto, numa indagação silenciosa. Compreendendo a dúvida dele, o policial virou-se para Nina.

— Minha irmã, acho que Daniel quer saber como foi que nós chegamos até ele.

Ela sorriu, compreensiva. Passou a descrever os acontecimentos daquela noite. Contou tudo o que havia acontecido, desde a hora em que despertara de manhã até chegar ao cemitério.

— ... e quando eu estava depositando flores na sepultura dos meus pais ouvi aquele som horrível. De início tive medo e minha vontade foi de correr, mas fiquei curiosa e resolvi me aproximar. Vim caminhando com cuidado e segui o som até aqui perto. Foi quando comecei a escutar a conversa entre você e aquele casal. — Fez uma pausa e prosseguiu, com um sorriso tímido: — Acredite, quando a gente não enxerga, a nossa audição fica bem mais apurada.

Foi Augusto quem prosseguiu:

— Eu conheço a Nina há bastante tempo. Ela é membro da igreja que fica do outro lado da cidade. Embora seja de outra denominação, nossos pastores organizam muitas atividades em conjunto. Por isso, ela tinha meu telefone e, na mesma hora em que percebeu o que estava acontecendo, lembrou que eu era policial e me ligou para alertar sobre o perigo que você corria. Mal sabia ela que eu o conhecia. Eu, então, alertei a delegacia e viemos todos em seu socorro.

Daniel olhou para Nina, agora mais encantado pela jovem que, ainda por cima, era sua irmã em Cristo. Comovido, dirigiu-se a ela:

— Você é muito corajosa, Nina. Obrigado. Devo a você a minha vida.

Ela sorriu.

— Bem, confesso que quando ouvi aquele som fiquei bem assustada e em dúvida sobre se deveria investigar ou não. Mas, então, me lembrei do conselho que um amigo muito querido me deu hoje mais cedo, quando me disse que, sempre que eu tivesse com dúvida sobre que atitude tomar, eu deveria me lembrar do que a Bíblia diz. Na mesma hora fiz uma oração a Deus, e em meu coração brotou o salmo 27, que diz: "O Senhor é minha luz e minha salvação; então, por que ter medo? O Senhor é a fortaleza de minha vida; então, por que estremecer?". Tomei isso como uma resposta de Deus e enfrentei meu medo. Que bom, não é? — deu uma risada gostosa.

Daniel se encantou com aquela jovem que, assim como ele, também amava as Escrituras. Qualidades fundamentais em alguém que...

— Uau... você conhece mesmo a Bíblia. Como...? — interrompeu a pergunta, com medo de ser indelicado. Ela sorriu.

— Já sei, você quer saber como eu consigo ler a Bíblia se sou deficiente visual. Devo isso a meus pais, que me deram de presente uma Bíblia em Braille, que é um sistema de leitura específico para pessoas como eu, que não conseguem enxergar com os olhos. Mas, com a ponta dos dedos, eu consigo ler muito bem! Já li alguns livros dessa maneira.

Daniel sorriu, hipnotizado pela jovem. Ela continuou:

— Se não fosse por meu amigo Malaquias, eu não teria prestado atenção no texto bíblico.

Malak! Naquela confusão toda, havia se esquecido dele! Teria ele sonhado ou estaria aquele rapaz preso no mausoléu? Daniel se sobressaltou. Deu um pulo e apontou para a porta.

— Augusto! Acredito que há um jovem preso lá embaixo. Ele está aprisionado no mesmo local em que eu estava. Por favor, corram lá para o subterrâneo e vejam se conseguem soltá-lo!

Augusto imediatamente chamou outro policial e fez um gesto para acompanhá-lo.

— Cabo, vamos lá embaixo, ainda tem alguém preso dentro do mausoléu! — E disparou porta adentro.

Naquele momento, Daniel viu rostos conhecidos aparecerem no local. Eram o pastor Eliseu, Carlos e Binho, que, alertados por Augusto, vieram correndo ao cemitério.

— Crânio!

— Crâ... Crâ... Crâ... Crânio!

— Daniel!

Todos correram até ele e o abraçaram efusivamente.

— Que história doida!

— Vo... vo... você está bem?

— Graças a Deus o Senhor o protegeu.

Daniel cumprimentou todos e depois apontou para a jovem.

— Pessoal, quero que vocês conheçam a Nina, o anjo que Deus mandou para salvar a minha vida — e relatou tudo o que tinha acontecido. Os três escutaram tudo e saudaram a jovem, que ficou feliz por conhecer mais aqueles irmãos em Cristo. Binho voltou-se para Daniel e reparou o olhar embevecido que ele lançava sobre ela. Sorriu.

— Nina, você precisa vir até a nossa cidade para nos visitar e conhecer nossa igreja.

Daniel lançou um olhar silencioso, mas constrangido, em direção a Binho. Quase que um olhar de censura. Mas ela abriu um largo sorriso.

— Vou com o maior prazer — e, aproximando-se de Daniel, segurou seu braço de forma delicada. — Se você quiser que eu vá, claro.

Daniel ficou totalmente embaraçado, mas secretamente feliz. Ia responder quando viu Augusto e o outro policial retornarem do subterrâneo... sozinhos. Daniel franziu a testa.

— Onde está ele?

Augusto ergueu as mãos, num gesto de dúvida.

— Olhamos em todas as câmaras do mausoléu, jazigo a jazigo. Não tem ninguém lá embaixo.

— Ninguém?!

— Ninguém.

— Puxa vida... eu poderia jurar que conversei com ele no corredor em que estava preso.

— Está tudo vazio, meu irmão.

Daniel, então, se convenceu de que a voz que ouvira mais cedo era a voz de seu coração, que trouxera à lembrança verdades da Bíblia que, naquele momento, chegavam para conduzi-lo ao caminho certo... na hora certa!

Nesse instante, Daniel foi interrompido por um alvoroço. Ele virou o rosto e viu que algo havia acontecido. Um burburinho percorreu os policiais e chegou até eles.

— O que houve? — indagou Augusto.

Um policial se aproximou e informou:

— Encontramos mais um integrante da quadrilha. Ele estava de vigia no portão lateral do cemitério. Nós fomos atrás, mas ele fugiu naquela direção. Está escondido em algum lugar.

Augusto virou-se para o grupo e pediu:

— Por favor, vocês precisam ir embora agora. A situação pode ficar perigosa.

O policial conduziu todos até um carro que estava parado, com as luzes vermelhas piscando, e pediu a um colega que os levasse dali. O pastor Eliseu entrou no banco da frente. Binho e Carlos entraram atrás. Só havia lugar para mais um. Daniel virou-se para Nina e segurou suavemente sua mão.

— Vá com eles, Nina. O carro vai levá-la em casa.

Ela voltou-se para Daniel, ligeiramente aflita

— Mas você vem depois, né?

A preocupação de Nina fez Daniel abrir um leve sorriso.

— Eu vou ficar bem.

Num gesto inesperado, Nina segurou o rosto dele com uma mão e deu um beijo fraterno em sua bochecha.

— Vou esperar você.

Com uma expressão de cumplicidade, completou antes de recolher a bengala dobrável que a ajudava a caminhar pelas ruas da cidade, e entrar no carro:

— Jesus o abençoe.

O carro seguiu em frente, e Daniel ficou olhando enquanto o automóvel se afastava. Quando sumiu na distância, Augusto virou-se para ele e disse:

— Fique por aqui até que o carro volte para buscá-lo. Com esse marginal solto pode ser perigoso andar por aí.

Daniel fez um gesto com a cabeça e sentou-se na beirada de uma sepultura. Augusto acenou e partiu para conversar com outros policiais, que gesticulavam, nervosos, organizando a caçada ao bandido fugitivo.

Daniel parou.

Olhou para o céu.

Respirou fundo. De longe observou os policiais e, sem que ninguém percebesse, levantou-se de onde estava. Começou a caminhar por entre as sepulturas, deixando para trás o burburinho dos homens da lei e as luzes de seus automóveis. Andou calmamente pelos corredores estreitos do cemitério, com destino certo. Ele tinha uma forte suspeita a respeito daquele criminoso desaparecido.

◆ ◆ ◆

Catarina pôs a última mala no carro. Olhou já com certo saudosismo para a casa onde havia morado por tantos anos, mas sabia que era chegada a hora de partir. Algo grande aconteceria em breve, e ela precisava se mudar para outra cidade. A sociedade secreta a que pertencia se reuniria dali a um ano para um acontecimento muito importante, e ela devia se dedicar a preparar... *o ritual.*

— Vamos, Henrique.

Seu aprendiz abriu a porta de trás do automóvel, e Catarina entrou. Henrique a seguiu e saltou para o seu lado. Com um aceno de cabeça, ela deu autorização ao motorista, que pôs o carro em movimento. Enquanto o veículo descia pela última vez aquela rua, Catarina procurava organizar as ideias. Desta vez, sua tentativa de recrutar Daniel para o grupo havia falhado, e suas mentiras também não deram resultado na tentativa de afastá-lo de Deus e aproximá-lo do ocultismo. Mas ela sabia que haveria uma nova chance. Não era à toa que Catarina estava se mudando para a cidade onde Daniel vivia.

Mas essa é outra história...

◆ ◆ ◆

Com passos lentos, Daniel tentou lembrar-se do trajeto correto que tinha de percorrer. Caminhou por algum tempo entre as sepulturas, até que se viu parado, em meio ao silêncio e ao escuro da noite, em frente ao casebre onde morava Reginaldo.

A porta estava aberta. Daniel deu alguns passos cuidadosos e se deteve embaixo da soleira. Olhou para dentro. O que viu o deixou momentaneamente paralisado: na sua frente, caído no chão, estava Reginaldo. Com a mão direita ele apertava o peito e com a esquerda, arranhava o chão. O rosto estava coberto de suor e a camisa, totalmente molhada. Respirava com dificuldade, soltando sons de agonia. Quando viu o jovem ali, estendeu uma mão em sua direção e implorou, com dificuldade.

— Me... ajude...

Foi então que Daniel percebeu que Reginaldo estava tendo um enfarte. Em meio ao estresse da fuga, o homem havia sido pego de surpresa por uma dor violenta no peito. Já começava a ficar roxo.

O jovem percebeu que, se não agisse logo, o coveiro morreria em segundos. Sem pensar duas vezes, atirou-se em sua direção e se debruçou sobre seu corpo, ajoelhando-se ao lado do tórax. Nisso, o homem agarrou a blusa de Daniel com força e o puxou para bem perto de seu rosto. Antes que o jovem pudesse fazer qualquer coisa, Reginaldo sussurrou em seu ouvido, com uma voz fraca e arrastada:

— Será que eu vou... para o... inferno?

A pergunta surpreendeu Daniel, o que o deixou sem reação. Mas, logo, foi tomado de um ímpeto que surgiu sabe-se lá de onde. Desvencilhou-se das mãos que o agarravam e disse, com voz firme:

— Vou salvar você.

Começou a empregar a técnica de primeiros socorros para pessoas que estão sofrendo paradas cardíacas, aprendida num curso promovido em sua igreja pelo pastor Wilson. Achou o ponto exato, no centro do peito, pressionou a palma de sua mão direita sobre o lugar e, sobrepondo as duas mãos, começou a exercer pressão.

"Um, dois, três, quatro...", e assim foi, até chegar a trinta. Em seguida, posicionou sua boca sobre a boca do homem e assoprou com toda força, inflando os pulmões de Reginaldo. Assoprou duas vezes e voltou a massagear o coração. Repetiu a sequência umas cinco vezes. Exausto e sem ver nenhum sinal de recuperação, parou.

Nisso, algo veio à sua lembrança e o fulminou como um raio: as palavras que tinha ouvido da voz misteriosa no mausoléu: "Há mais alegria no céu por causa do pecador perdido que se arrepende do que por noventa e nove justos que não precisam se arrepender".

Palavras que, na verdade, eram de Jesus.

O homem se debatia em agonia no chão, a pele arroxeada, afogando-se no seco. Daniel olhou para aquele criminoso e enxergou o horror que havia refletido em seus olhos. *Medo do inferno*, dizia seu olhar.

Então, tomado por uma grande certeza acerca do que estava fazendo, Daniel reclinou-se sobre o moribundo, fitou diretamente seu rosto e lhe disse:

— Reginaldo, você desobedeceu a Deus e se rebelou

contra ele. Pecou e com isso se tornou, sim, merecedor do inferno. Mas quero lhe dizer que Jesus Cristo, o Deus vivo, encarnou como homem, morreu na cruz e ao terceiro dia ressuscitou! E todo aquele que se arrepender de seus pecados e nele crer não passará pela segunda morte, mas terá a vida eterna! Por isso eu lhe pergunto: você quer receber Jesus como Salvador pessoal e segui-lo como seu Senhor enquanto viver?

Por um segundo, Reginaldo parou de se debater, como se tivesse recebido um tapa na cara. Olhou dentro dos olhos de Daniel. Até que respondeu, após um instante, num tom de voz sussurrado e quase inaudível:

— Sim...

Os dois ficaram se olhando por um instante. Daniel permaneceu imóvel, enquanto via uma lágrima escorrer lentamente do olho direito daquele homem. Subitamente, as feições dele se transformaram e ganharam uma paz indescritível. Reginaldo olhou para o teto. Virou-se para Daniel e... sorriu.

No segundo seguinte, sua mão caiu inerte no solo e seus olhos se fecharam.

Silêncio.

◆ ◆ ◆

Minutos se passaram. Finalmente, Daniel suspirou fundo. Com esforço, pôs-se de pé. Olhou para o corpo imóvel de Reginaldo e ficou ali, pensativo, por alguns instantes. Em seguida, deu meia-volta e arrastou os pés até a porta. Parou.

Exausto, sentou-se no degrau da entrada. Dirigiu seus olhos para o céu, com o coração leve e agradecido e uma grande paz na alma. Quando se deu conta, lágrimas desciam suavemente por seu rosto. Não eram, porém, lágrimas de tristeza, mas de alegria.

Algumas vozes se ouviram ao longe. Aos poucos, os policiais começaram a chegar ao local. Um grande burburinho preencheu o ambiente em torno do casebre, enquanto os homens da lei tomavam conhecimento do que estava acontecendo. Mas, para Daniel, era como se não houvesse ninguém ali. Ele chorava pois, naquele exato momento, finalmente compreendeu a razão de Deus o ter levado até aquela cidade.

Compreendeu, enfim, qual era sua grande missão: *levar a mensagem da cruz às almas de Cruz das Almas*. De repente... tudo fez sentido!

E a compreensão veio junto com uma certeza: há alegria na presença dos anjos de Deus toda vez que um pecador se arrepende. Porque essa, sim, é a grande vitória em qualquer guerra espiritual...

Daniel havia, enfim, desvendado o mistério de Cruz das Almas.

Sobre o autor

Maurício Zágari é escritor, editor e jornalista. Escreve regularmente em seu *blog* Apenas (apenas1.wordpress.com).

Obras da série "As aventuras de Daniel":

O enigma da Bíblia de Gutenberg
Sete enigmas e um tesouro
O ritual

Compartilhe suas impressões de leitura,
mencionando o título da obra, pelo e-mail
opiniao-do-leitor@mundocristao.com.br
ou por nossas redes sociais

Esta obra foi composta com tipografia Sabon
e impressa em papel Pólen Natural 70 g/m² na gráfica Assahi